Cerddi Ceredigion

Cyfres Cerddi Fan Hyn

Golygydd

Lyn Ebenezer

Golygydd y gyfres

R. Arwel Jones

Argraffiad cyntaf—2003

ISBN 1 84323 161 1

ⓗ y casgliad hwn: Gwasg Gomer
ⓗ y cerddi: y beirdd unigol

Dymuna'r cyhoeddwyr gydnabod cymorth
Adrannau Cyngor Llyfrau Cymru.

Cyhoeddir o dan gynllun comisiynu
Cyngor Llyfrau Cymru.

Argraffwyd gan
Wasg Gomer, Llandysul, Ceredigion SA44 4QL

CYNNWYS

vii

RHAGYMADRODD

Nod pob un o gyfrolau'r gyfres hon o flodeugerddi yw casglu ynghyd gant o gerddi am un ardal benodol, ei lleoedd, ei phobl a'i hanes. Yn wahanol i flodeugerddi eraill a seiliwyd ar uned ddaearyddol, cyfres *Awen y Siroedd*, er enghraifft, does dim gwahaniaeth o ble mae'r bardd yn dod; yr unig ystyriaeth o ran *Cerddi Fan Hyn* yw ei fod ef neu hi yn canu am yr ardal dan sylw. Cyfyngwyd cyfraniad pob bardd i ddim mwy nag wyth o gerddi ac yn yr un modd ceisiwyd cyfyngu ar nifer y cerddi i un testun penodol.

Cyfyngwyd y dewis i gerddi a oedd yn ddealladwy heb gymorth nodiadau ysgolheigaidd gan ofalu cynnwys y disgwyliedig a'r annisgwyl, y cyfarwydd a'r anghyfarwydd, yr hen a'r modern, o ran beirdd a thestunau. Cymerodd ambell fardd ran fach ar y llwyfan cenedlaethol tra bod ambell un arall wedi chwarae rhan cawr ar y llwyfan lleol; ceisiwyd cynnwys enghreifftiau o waith y naill fel y llall.

Y gobaith yw y bydd y gyfres hon yn un y bydd pobl yr ardaloedd dan sylw a thu hwnt iddynt yn troi ati wrth chwilio am eu hoff gerdd am yr ardal neu wrth chwilio am rywbeth ychydig yn wahanol, ac y bydd yn cynnig darlun o ardal, ei phobl a'i hanes yn ogystal â bod yn ffynhonnell o wybodaeth am yr ardal y byddai'n rhaid lloffa'n eang amdani fel arall.

R. Arwel Jones

RHAGAIR

Yn yr ysgol gynradd gynt roedd y prifathro, J. G. Williams, yn sir-garwr heb ei fath. Pwysleisiai bob amser mewn gwersi Cymraeg mai Sir Aberteifi oedd y sir fwyaf cyfoethog yng Nghymru gyfan o ran ei beirdd a'i barddoniaeth.

Fe fyddai trigolion siroedd eraill yn anghytuno, mae'n debyg, ond ar ôl bod wrthi'n casglu, dewis a dethol ar gyfer llunio'r flodeugerdd hon, gallwn ddeall rhywun fyddai'n mynnu mai hi yw'r sir fwyaf cynhyrchiol ei barddoniaeth yng Nghymru.

Y gofyn oedd am gant o gerddi yn ymwneud â'r sir o ran ardaloedd, pobol neu ddigwyddiadau. Gallaswn fod wedi dewis cannoedd.

Mae mwy nag un fro yn y sir a allai hawlio'i blodeugerdd ei hunan. Dyna i chi Ffair Rhos, Y Cilie, y Mynydd Bach a Dyffryn Aeron. A beth am feirdd coleg?

Dyna i chi feirdd unigol wedyn. Gellid dewis blodeugerddi cyfan o blith gwaith T. Llew Jones neu Dic Jones.

Tasg anodd – yn wir, amhosibl, bron – fu mynd ati i ddewis a dethol. Ceisiais fod yn deg yn ddaearyddol drwy ddewis cerddi a chaneuon o bob rhan o'r sir. Ceisiais fod yn ffyddlon i'r gofynion drwy gadw at gerddi ar leoedd, pobol a digwyddiadau, gan osgoi cerddi ar bynciau haniaethol. Ond y gwir amdani yw y gallai rhywun arall fynd ati i lunio blodeugerdd na fyddai'n cynnwys yr un o'r cerddi neu'r caneuon ddewisais i.

Roedd rhai enghreifftiau yn amlwg. Er bod hanner dwsin a mwy o gerddi ar Ystrad Fflur wedi mynd drwy fy nwylo, sut fedrwn i hepgor cerdd enwog T. Gwynn Jones? Sut na fedrwn i gynnwys 'Cwm Alltcafan' T. Llew Jones? Clasur arall, wrth gwrs. Ac 'Ar Ben y Lôn', cerdd a fu – ac y sydd, gobeithio – ar dafodau plant ac oedolion ledled Cymru. Rhaid fu cynnwys honno.

O ran ffurf, mae'r cerddi, yn gyffredinol, yn cychwyn ym Mhumlumon ac yn symud i lawr tua de'r sir. Ond yma ac acw fe oedir er mwyn codi ambell sgwarnog.

Felly, yn gam neu'n gymwys, dyma nhw. Mae yna elfen hunanol yma, wrth gwrs, wrth i mi gynnwys rhai o'm ffefrynnau personol. Ond dydw i ddim yn ymddiheuro am hynny, gan y gwn fod llawer iawn ohonoch yn siario'r un hoffterau â minnau. Mae yma fwy o hen gerddi nag o gerddi newydd. Mae hynny'n naturiol. Yn un peth, mae'n adlewyrchu fy oedran. Mae'r hen gerddi, yn ogystal, wedi profi eu poblogrwydd a'u gwerth dros y blynyddoedd.

Beth bynnag yw'r gwendidau a'r bylchau yn y casgliad, fe'i detholwyd gan rywun sy'n Gardi digyfaddawd.

Carwn gyflwyno'r gyfrol i John Roderick Rees, fy nghyn-athro Cymraeg. Oni bai amdano ef, fyddwn i ddim wedi meithrin cariad at geinion barddoniaeth a llenyddiaeth. Diolch, Jack.

Lyn Ebenezer

CEREDIGION

Fy Sir hynafol, hen waddol Cunedda –
  Y rhan hon o 'wlad' o'r un enw â'i lanc;
Ar rawd heddiw af o Gwbert i Ddyfi,
  O gyrrau'r gwastadedd i 'Berfedd' y banc.

Daw awel yr haf o'r môr i bob goror,
  Gwibia ar hynt o'r Cei ac Aber Arth;
Traidd i weundir a rhostir o Aberystwyth
  I rimynnau'r twyn ym mro'r mawn a'r tarth.

Ni chaf yng Nghwmsymlog le i'r ôg a'r egin,
  Rhaib ola' y maes aeth o rwbel y mwyn, –
A mwy ei wast ar oleddau Cwmystwyth
  Lle mae'r Strontiwm yng nghnawd ac ar rawd yr ŵyn.

Fry yn y grug ni chaf drigfa i'r bugail,
  Na mwg ym mharth lle bu mamog a myllt;
A gwig i'w harddel sydd uwch Gogerddan
  Am wlydd a gwawn dros y moelydd gwyllt.

I Drawsgoed y ffesant dof, daeth arbrofi
  Ar borfa'r hylog, a da pluog rhag pla.
A lle pori i famogiaid Pwllpeiran,
  Ac i barddu fuches yn heuldes yr ha'.

Sir tyrfaoedd mewn gwisgoedd coleg ac ysgol,
  A 'gwlad' a fu'n enwog am ei cheiniog a'i chur;
A'i heglwys Geltaidd, er concwest ei chestyll,
  Yn rhoi arlwy i'w phlwy – fel yn Ystrad Fflur.

O wyneb eithinog Pen-uwch a Bethania
  (Cefndir crwm a llwm y cob pymtheg llaw),
Fe wibia yr adar i Gors Fochno a Charon,
  A thros ffinlinell ar y drumell draw.

Ac wele y gwanwyn â'i gyryglau i Genarth,
  A'u miri ar Deifi gyda'r haf ar daith.
Ai gwrym o wychliw eurog yw'r machlud
  Â'i olch trwy y Sir pan fo'r haul uwch Tre Saith?

1

Uwchlaw y Ferwig a'r Mwnt caf y swntir,
     O Lambed i Lanarth y mae tarth i'r tir;
A phrennau a'u twf yn Nyffryn Teifi
     Lle mae'r cnydau ar gaeau yn llwythog ir.

Fy Sir hynafol! Hen waddol Cunedda –
     Y rhan hon o 'wlad' o'r un enw â'i lanc.
Ar rawd heddiw af o Gwbert i Ddyfi,
     O gyrrau'r gwastadedd i 'Berfedd' y banc.

                                        Dafydd Jones

2

BAE CEREDIGION

Bu unwaith yn rubanog – ei fin hwyr,
   Yn faneri perlog;
Unwaith yn ffordd ewynnog
A'i meini'n aur am na n-Og.

Ond nid rhaff rwym o saffrwm – yw ewyn
   Yr heol ers talwm,
Nid dŵr yw hi o swyn trwm
Ond tonnau o bliwtoniwm.

O'i newid aeth yn heol – drywanwyllt
   I'r ynys freuddwydiol
Â'i llach ambr i wyll ei chôl
Liw hydref ymbelydrol.

Heno mae fflam ei hewyn – ar annel
   I'r ynys o'r penrhyn,
A'i chôl angheuol ynghynn
O lygredd fel taflegryn.

                                      Donald Evans

CYWYDD HIRAETH Y BARDD
AM EI WLAD

(Detholiad)

Newidiais, ar wan adeg,
Wlad iawn Geredigiawn deg;
Lle mae iechyd byd yn byw,
Diboen a gorhoen gwiwryw;
Gwlad Ddafydd, ganiedydd gwych,
Gwilym, harddwiw y'i gwelych;
Lle mae dynion glewion, glwys,
Gwiwglod mewn gwlad ac eglwys;
A mwyn feinwar i'w harail,
Diniwaid iawn dan y dail,
Annhebyg yn Neheubarth
Y fun wen ni fynnai warth,
I Saesnes, ddewines ddu,
O waed Lloegr wedi'i llygru.
    O! Gymru lân ei gwaneg,
Hyfryd yw oll, hoywfro deg,
Hyfryd, gwyn ei fyd a'i gwêl,
Ac iachus yw ac uchel;
A'i pherthi yn llawn gwiail,
A'i gweunydd a'i dolydd dail,
Lle mae aml pant, mwyniant mau,
A glynnoedd a golannau;
Mynyddoedd a mwyneiddweilch
Fel Mynnau uwch bannau beilch;
A'i dŵr gloyw, fel dur y glaif,
O dywarchen y dyrchaif;
Afonydd yr haf yno,
Yn burlan ar raean ro
A redant mewn ffloyw rydau
Mal pelydr mewn gwydr yn gwau.
    Teifi lân, man y ganwyd
Dafydd y prydydd, pur wyd,
Dy lif, y loywaf afon,
Fal Dafydd y sydd yn sôn,

4

A'i wiw enwog awenydd
Fel di rhed filoed yr hydd:

Gwyn fyd na bai gennyf fi
Awen Dafydd lan Deifi.

Ieuan Brydydd Hir

5

LIMRIGAU ENWAU LLEOEDD

Mae gwraig fach yn ardal Llan-non,
A phisin hen-ffasiwn yw hon,
   Lan fry ar ei chorun
   Mae het fel ŵy 'deryn,
A thani mae clamp o shinon.

Hen wraig fach yn byw yn Llanwnen
Yn enwog trwy'r fro fel hen gwnen,
   O hyd yn gwenwyno
   A chintach a chwyno
Dan fwmian drwy'i thrwyn fel picwnen.

Hen globyn o Sais o Ffostrasol
Ddamsgynnodd ar 'nghorn i'n bwrpasol,
   '*I'm sorry*,' 'be'r lowt
   Gan siarad drwy'i snowt;
'*No dowt*,' myntwn inne'n urddasol.

'Rodd un o aelode côr Llambed
Yn canu rhyw denor mawr tambed,
   Ond fe'i trowd e' yn fas
   'Rôl cael annwyd go gas
Wrth gysgu un noson mewn camp-bed.

'Roedd bachan o ardal Cwmystwyth
Yn teimlo fel walbon o ystwyth;
   Rhoddodd lam fel yr hydd
   I'r awyr ryw ddydd:
Disgynnodd ar Brom Aberystwyth.

'Rwy'n gwybod am ddyn o Ben-llwyn,
Hen fachgen nodedig o fwyn,
   Gwirionedd a'i piau,
   Er hynny yn ddiau
Byddai'n bowndi'n ysgawnach heb drwyn.

Nan a Neli Davies

PUMLUMON

Yn nyddiau'r mawn fe'm siglwyd dros Ddisgwylfa
   Ar drwyn-mewn-llyfrau daith, ond gwyddai Loc
Am droeon slei Bwlch Cyfyng a Phen Bwllfa,
   A'i chlec pedolau megis pendil cloc.
Ni wyddwn wrth fwlgramio ffaith a dyddiad
   Yng nghert yr achau gynt, fy mod ar dir
Hen frwydrau tyngedfennol lle bu'r lleiddiad
   O'r Dwyrain, yn troi adre o Fryn Clir;
Disgyn ar gopa'r byd cyn gado'r goben
   I grwydro'r fawnog ar lyffethair draed;
Awchlymu'r haearn gwthio, troi'r dywarchen
   I'r merddwr gwyrdd, a gweld y gors yn waed.
Heddiw, mi blygaf ger y mynydd hwn
Pan waeddo'r lleisiau pell o Graig y Dwn.

W. J. Gruffydd

TAIR AFON

Fe gysgai tair morwynig
  Ar ben Pumlumon fawr,
Sef Hafren, Gwy a Rheidol
  Yn disgwyl toriad gwawr.

Meddylient godi'n fore
  A theithio'n rhydd a llon,
A chyrraedd cyn yr hwyrnos
  Eu cartre 'nghôl y don.

Dihunodd Gwy a Hafren
  O'u cwsg yn fore iawn,
A daethant 'rôl hir deithio
  I'r môr yn hwyr brynhawn.

Ond cysgodd Rheidol ieuanc
  Heb bryder yn ei bron,
Ac wedi hwyr ddihuno
  Rhuthrodd yn syth i'r don.

A dyna pam mae Hafren
  A Gwy'n ymdroelli'n faith,
A Rheidol fach yn rhedeg
  Yn syth i ben ei thaith.

                 T. Hughes-Jones

CANTRE'R GWAELOD

1

Obry blodeuai Ebrill,
Ymwelai Mai a'i lu mill;
A dawns y don sidanaidd
A'r hallt fôr, lle tyfai haidd.
Lle bu trydar a chware,
Dŵr a nawf rhwng dae'r a ne'.

Tegwch Natur, fflur a phlant,
Morynion, – yma'r hunant –
Blodau haf heb olau dydd
O dan oer don y Werydd.
Pob ieuanc ar ddifancoll,
A hithau'r gân aeth ar goll.

Pau segur is pwys eigion,
Distaw dud is to y don.
Uwch ei phen mae llen y lli,
A'i ddŵr gwyrdd ar ei gerddi.
Ei hamdo mwy ydyw môr,
A'i ddylif fydd ei helor.

2

Caer sy' deg gorîs y don
I frwyn a môr-forynion;
Yma rhwng ei muriau hi
Nofiant yn eu cynefin.

Main hudol a phob golud
Sy' o fewn y ddinas fud;
Tlysau a pherlau a physg,
Gwymon a gemau'n gymysg;
Dinas dawel môr heli,
Hafan y dwfn ydyw hi.

Sain ei mynych glych a glyw
Sobreiddiol osber heddiw
O'r ddinas gain, – sain y sydd
Soniarus yn y Werydd.

R. Williams Parry

9

NANTYMOCH

Caethiwyd patrymau carpiog
  Dy gaeau trwm
Yn fythol wyrdd tan rimiau
  Caets gwydr y cwm.

Mae'r curo yng nghalon twrbin
  Y fwtres hir
Yn gryndod dan wreiddiau'r fforest
  A pherfeddion dy dir.

Daw hafddydd â meddal segurwyr
  At ddilanw don
Ond ni ddaw cynhaeaf Mihangel
  O gae-dan-y-fron.

Vernon Jones

PENTREFI

O grwydro'r ffyrdd anniben, y llwybrau meddw
sy'n dianc o gysgod Gogerddan i'r mynydd agored,
gellir cyfarch y bymthegfed ganrif.

Mae Elerch, Llwyn-prysg a Phont-rhyd-y-beddau,
Capel Dewi a Phenrhyn-coch yn solet fel hen ddynion,
fel patriarchiaid gwydn y nentydd cilwgus;
maent mor hen â phechod ac mor hir ddrwgdybus,
yn deidiau balch ystyfnig dan gochl eu cerrig llwyd.

Ac fel broc ar y traeth, neu'r afreolus wynt,
safant yn ddigyfnewid. Fe'u gadawyd, eu gwrychoedd a'u tai,
eu defaid a'r glas fynyddoedd,
i bydru'n ddiamcan ymlaen, rywsut neu'i gilydd,
ac i ffynnu'n benderfynol, y gweddai i'r hen,
mewn cornel ddidrafferth yn Sir Aberteifi.

Ambell waith, pan fo afon yn newid ei chwrs,
ac yn gorymdeithio tua'r môr
dros feysydd gwyryfol,
gan dreiddio trwodd fel byddin ragorol yn hawlio ardal,
gadewir aden swil o dir, rhyw dafod dirmygedig
i fyw ar siglo syrffedus y dŵr a anghofiwyd,
i deimlo adlais ton neu ddwy, i gysgu a goddef pysgotwyr.

Felly'r pentrefi hyn ar ddiwrnod fel heddiw
pan fo'r gwanwyn dihidio,
wedi gwawrio ynghanol Chwefror, gan boeni'r briallu
yn ymyl y gwrych, a chodi'r hen gennin Pedr
ymhell cyn eu hamser.

Ni chofiant bellach gampau'r Gwylliaid Cochion,
na Thwm Siôn Cati'n dygyfor heibio ar gychwyn chwedl,
ond rywsut fe ŵyr y cyfan ohonynt, er hynny,
fod yr afon unwaith yn ferw o gylch eu traed,
sŵn y glêr yn seinio'r tu draw i Elerch,
a Dafydd ap Gwilym yn deffro ym Mhenrhyn-coch.

11

Diweddar a dibwys yw rhwysg Gogerddan,
a moethau gwyddonol yr iseldiroedd;
ond gorwedd gwytnwch caled y canrifoedd
a hanfod bywyd ym mud lonyddwch y pentrefi hyn,
pa mor gysglyd bynnag y bônt dan haul annisgwyl Chwefror.

R. Gerallt Jones

CWM ELERI

Na, ni cheisiaf ddim o firi,
    A rhialtwch gwag y dref;
Rhowch i mi hen Gwm Eleri,
    Sawr ei rug a glesni'r nef.

Lle daw'r gwanwyn â'r briallu
    I sirioli perth a thwyn;
Lle daw'r adar i gystadlu
    Yn eisteddfod fach y llwyn.

Cartre'r wenci chwim a'r cadno,
    Hen rodfeydd yr ŵyn a'r myllt,
A daw'r hedydd i orffwyso
    Yma i hedd y migwyn gwyllt.

Lle caf gwmni'r llu gwylanod
    Wrth fy sodlau yn y rhych;
Pan fo'r storm yn lluchio'r tywod
    Ac yn deifio blaen y gwrych.

Na, ni fynnaf ddim o firi
    A rhialtwch gwag y dref,
Rhowch i mi hen Gwm Eleri,
    Sawr ei rug a glesni'r nef.

J. R. Jones

13

PEN-Y-GARN

Tair potel tsieni
wedi eu croeshoelio
ar bren a biclwyd o dir y plas,
twrbin yn corco'r dydd a'r nos –
dyma i mi oedd Pen-y-garn.

Canys Iard Garn House oedd nerf trydan y fro.
Hen siediau sinc yn crynu uwchben deinamo
a gorddai alwyni o asid yng nghaethiwed y celloedd gwydr.

Pan ddychwelsom i dir ein gwreiddiau
'roedd y brawd mawr Manweb
wedi monopoleiddio goleuni'r gymdogaeth.

Eithr disyfl y deml sgwâr ar fin y ffordd
a'i sanhedrin a reolai wres ysbrydol y fro.

Gweinidog, yn bachu'r lamp uwchben y praidd,
paffiwr, athletwr wrth anian
ond iddo golli ei ornest â'r Ysbryd Glân,
y blynyddoedd yn marweiddio'i dân, a'i weddi'n falm –
hyd nes gwreichionai'r natur gynhenid yn y Gobeithlu!

A'r cerddor, tywalltai olew ar dân y mawl.
Dwylath o Oleiath â chraith y pwll glo
yn wythïen las ar ei dalcen,
dadansoddi lleisiau fel hollti glo
a'i dymer heb fod mor sefydlog â'i nodyn!

A'r Gamaliel, bardd penwyn y deml,
a'i wybodaeth yn eiddigedd prifysgol.
Ato ef y llwybreiddiai'r pryddestau a'r awdlau
oedd ar briffordd y genedlaethol
i'w trwsio a'u pedoli
cyn eu gollwng ar daith tua'r dosbarth cyntaf.

Y drindod hyn oleuodd i mi'r gwifrau
i dywyllwch hen ddiwylliant fy mhridd
a gynhyrchai ffwrn o gariad at y fro,
rhag llithro i drymder gwres canolog
ystafelloedd Philistia bell
ac ymdrybaeddu yn lludw'r rhyfel mawr.

A heddiw mae Pen-y-garn
yn trydanu trwof.

Vernon Jones

15

DEWI MORGAN

Rymus saer y mesurau – gŵr o ddysg
A'r ddawn i drin geiriau,
Nyddwr y cain gywyddau
A gaiff o hyd ei goffáu.

Ifor Davies

COTIAU COCH GOGERDDAN

Yn gynnar, yn gynnar, rhwng cangau y coed
Y cerddai yr awel yn ysgafn ei throed;
A brysiai y wawr tros lechwedd y bryn
I ysgwyd y barrug o flodau'r glyn.
Ond ust! dan y deri mae dolef hir
Yn deffro'r atsain yng nghreigiau'r tir;
Mae corn yr heliwr yn galw'n glir
Ar gotiau coch Gogerddan.

Ar garlam, ar garlam, o fynydd a rhos,
Daw mab y pendefig a'i eneth dlos,
Dros y llidiardau ar doriad y wawr
Ar alwad y corn dan y derw mawr.
Pob un ar ei farch − y gorau a gaed,
A'r mellt yn cynnau o dan eu traed;
Hen Gymry o dafod, a Chymry o waed,
Oedd cotiau coch Gogerddan.

Gweryru, gweryru, wna'r meirch ynghyd,
A chyfarth, a chyfarth, wna'r cŵn i gyd,
Ar amnaid y corn dan y derw mawr
Mae cant o bedolau yn palu'r llawr.
A dacw hwy'n cychwyn i'w difyr hynt,
Gan neidio'r afonydd heb weld y pynt;
A chroesi mynyddoedd mor gyflym â'r gwynt
Wnâi cotiau coch Gogerddan.

Carlamu, carlamu, dros hanner y byd,
A phlant y pentrefi yn edrych yn fud;
Mae'r hogyn penfelyn yn crynu gan fraw
Wrth sŵn y pedolau o'r pellter draw.
Tali ho! dacw'r llwynog i'w weld yn glir,
A'i gynffon fel comed yn croesi'r tir;
Ond dilyn a dilyn y gynffon hir
Wnâi cotiau coch Gogerddan.

17

Dychwelant, dychwelant, o fynydd a rhos,
Tuag adre', tuag adre', bob un gyda'r nos;
A sŵn y pedolau wrth daro'n y pant
Yn torri ar heddwch breuddwydion y plant.
Ymgomio, ymgomio, heb gynnen na chas,
Ond calon wrth galon, bendefig a gwas;
Ac ailhela'r llwynog yn neuadd y plas
Wnâi cotiau coch Gogerddan.

J. J. Williams

DAI HOPE

Hen siwt dy' Sul a chôt tair cnoc ar ocsiwn.
Cap cwilt rhacs a thei 'run lliw â madfall.
Gorweddai'n glatsh
yng nghwt y Motor Coch,
Sadwrn y sbri, wedi gwario'r 'supply'.

Mae ambell berson ar glawr daear
na ellir mo'i gasáu.
Un felly ydoedd Hope.
Âi'n benwan yn ei ddiod
a heriai pob un Gwyddel yn yr 'Harp'.
Chwerthin bras. 'Dechreua fagu blew, 'rhen gyw'.
Ac arian dros y bar am beint 'i fewn' i Hope.

A'i lygaid! Bron na welwn nhw'n curo fel dwy galon,
a nentydd gleision yn chwyrnellu'n chwil rownd pob cannwyll.

Ymaflai'n ei drontol fel y cydia gŵr dall yn ei gi,
ac fe'i llyncai cyn gynted â'i câi rhag iddo flasu'r hops chwerw.

Un felly ydoedd Hope.
Wedi'r nawfed peint –
atgofion:
'Cofio'r eneth deg a'm carai gynt yn Ffrainc
pan oedd y lle yn pingo'n frwd 'da marcs'.

Ond haerai'r Gwyddel ar ei bwys
fod medr i boeri'n syth i'r shafins ar y llawr
yn 'mestyn tipyn ar ddychymyg Hope.

★ ★ ★

Dai Hope? Fan'co. Dan y ffrwcs.
Ac ar y bedd hen lestr crac yn dala dŵr y glaw.

Peter Davies, Goginan

BE WYDDOM NI ...

Be wyddom ni o dan y sêr
am be'r wyt ti'n breuddwydio,
i fyny ar dy wely gwyn
fel deryn wedi'i daro?
Bydd baner ddu dros Gymru i gyd
Nes byddi di 'di deffro.

Yn joch o wisgi aur heb ddŵr,
yn Lyndŵr dros bob achos,
Yn rhuo dy farn, yn hir dy farf,
yn tarfu ar y plantos;
lle bynnag rwyt ti'n hel dy din,
mae'r Mabinogi'n agos.

Bydd rhai'n dy watwar yn dy win
fel melin glep yn rwdlan,
Ond mi fûm i lawer gwaith drwy'r nos
yn gwrando sŵn dy hopran,
ac yn hel y siwrwd sêr i'm sach,
Peter bach Goginan.

Twm Morys

BEDYDD YN LLANBADARN 1843

Llifai'r Iorddonen
trwy ganol Llanbadarn
y dydd y bedyddiwyd
Margaret Ann.

Wrth i'r dŵr gau amdani
fe glywodd ru
brithyll yn anadlu
a holl bwysau
a hanes y dŵr
yn gyffro
rhyngddi hi a'r pregethwr.
Safai yntau fel cawr,
ei goesau'n bileri
yn y cerrynt du
tra lledai ei phechodau
y tu hwnt ac oddi tani
yn llifeiriant i'w boddi.

Chwifiodd ei chwaer ei pharasól,
ac yng nghrisial y Rheidol
'roedd y saint fel blodau ar hyd y lan
a llewod Rhagluniaeth
yn crwydro'n eu plith
ac yn rhuo'u bendith
hyd at Aberystwyth,
a hi a'r gweinidog
yn gwisgo'r dŵr
fel sanau hosanna
ac yn gwylio dau fyd –
un plwyfol, un nefol –
yn dyfod ynghyd,
a'r hetiau'n barod
at Ddydd y Farn
a hithau'r briodferch,
Margaret Ann,

mor llachar â'r heulwen
oedd yn danbaid o dan
goed palmwydd ffrwythlonaf
a chedyrn Llanbadarn.

Gwyneth Lewis

BALED STEDDFOD ABERYSTWYTH, 1952

(Er Cof am Harri Gwynn)

Pan oedd yr haf yn wefr, a'r Garreg Lwyd yn frau
dan wres hen haul Brynaman yn un deg naw pump dau,
roedd Siors, John Llew a minnau, tri stiwdant anturus hy,
yn gorwedd mewn segurdod ar lethrau'r Mynydd Du.

Islaw fe lifai'r afon, yr Aman ddiwydiannol syn
yn ei gwely mydryddol marw, lle troediasai Watcyn Wyn.
Dywedodd Siors yn sydyn, 'Beth am ddianc o'r dyffryn, bois,
a mynd am dro i Aber, o'r tipiau du eu loes.
Mae yno fôr a merched a steddfod yn gynnwrf gwyn,
cawn amser bendigedig, bois, er bod y pres yn brin.'

'Beth ddiawl sydd ar dy feddwl?' meddai'r ymarferol John,
'does gyda ni ddim clincen goch i fforddio'r antur hon.
Cardis yw landledis Aber, addolwyr duw y bunt,
elli di ddim byw am wythnos ar fôr a beirdd a gwynt.'

Ond mynd i Aber wnaethom, a ffeindio lle i fyw
yn hostel merched Alex dan Consti greigiog friw.
Un sosej fain i frecwast yn crechwenu ar y plât
a gwely gwrywaidd shengel yn symbol o dlodi ein stad.

Ond ar ddydd Mawrth fe ddwedais wrth Siors a John ffarwél,
a cherddais i'r Eisteddfod, yn llencyn gobeithiol ffel,
i wylio hen goroni y gorau fardd a gaed,
i'w weld yn sefyll yno, a'r werin wrth ei draed.

Ond, jiw, jiw, dywedodd y beirniad fod y beirdd yn 'opless w,
bod dim un bardd yng Nghymru achlân yn deilwng, ar fy llw,
o'r Goron a orweddai yno, ar glustog y traddodiad sofft.
Yn wir, dywedodd bod y gorau un yn brin o wair yn ei lofft.

Ac wedyn yn y Babell sydd mor llawdrwm ar fodernaidd lên,
fe dd'wedodd dau o'r beirniaid, yn eu pwysigrwydd hen,
y dylid cloi y gorau a fentrodd i'r gystadleuaeth hon
naill ai mewn closed sicr ei dôr, neu mewn seilwm y gwallgo ffrom.

Ond mentrodd un o'r trigwr i fynegi ei ddi–syfl farn,
gŵr o duedd ystyfnig, gŵr o ewyllys ha'rn,
fod Efnisien, bardd y Creadur, yn deilwng o'r anrhydedd hardd
a befriai dros y Goron a wisgai'r teilyngaf fardd.

Yr Euros eiriasboeth oedd hwnnw, bardd dur ein canrif ni,
a oerai dymer ei ddicter coch yng nghrygni dieithr ei gri.
'Y mae arwyddocâd Aristoffanaidd yn y gerdd hon,' meddai ef.
Ond i'r bardd digoron, truan, alaeth oedd yn ei lef.

Ond ar ddydd Iau fe welsom yn y *Cymro* gwerinaidd ei iaith,
Daily Mirror sgŵplyd Cymru lân, papur y werin gyffredin ffraeth,
mai Harri Gwynn oedd y carcharor a gyfarchai'r chwilen ddu.
Ef oedd y llofrudd a dagodd delynowgrwydd pert Cymru fu.

Fe ddarllenais y bryddest yn uchel ac yn eiddgar i Siors a John,
ym mar y Lion Royal uwchben y peintiau llon.
'Blydi gwd w,' oedd barn fy nghyfeillion, 'aiff y boi 'na'n bell,'
    meddai Siors,
'ond fe ddyle fe ddysgu rheimo 'twel, neu fe landith 'to yn y gors.'

Fe ddychwelsom i Frynaman ar ddiwedd yr wythnos brin,
i ddyffryn y tipiau trwstan i segura yn ein tlodi tyn.
Ond rywsut fe lifai'r afon, yr hen Aman ddiwydiannol syn,
nid i fydrau rheolaidd cyfarwydd Gwydderig a Watcyn Wyn,
ond i rythmau dieithr newydd y bardd o Wynedd draw,
a dynnwyd gan ddau feirniad cas drwy'r llacs a'r llaid a'r baw.

'Ie'r Gwynnfardd hwn a orfu,' sibrydodd y Garreg Lwyd,
'Cans ef oedd yr un a agorodd i led y pen y glwyd
y cerddodd drwyddi eginfeirdd herciog ein cyfnod ni,
fel y Gwyn Tom hwnnw o'r Blaenau, ac efallai, hyd 'n o'd ti.'

Bryan Martin Davies

CYWYDD CROESO

(Eisteddfod Genedlaethol Aberystwyth 1992)

Heddiw aed ein gwahoddiad
Yn eirias glir ar draws gwlad,
Dewch yn wir a phrofi'r ffrwyth
A estyn Aberystwyth,
Daw yr Ŵyl i'n plith ar dro
I deg erwau diguro.

Cewch hwyl a difyr wyliau
A gwynt teg yn naw deg dau,
Heulwen braf yng nghalon bro
A chynnes wres ein croeso,
A mwynhau hen gwmni iach
Y Brifwyl, be' sy' brafiach!

Daear Gelli Angharad
Ddena i'w gwlith ddoniau gwlad,
O dan ei choed oni chawn
O'n hymroddiad amryddawn
Hogi'n hiaith a'n gobeithion,
A dal her y genedl hon.

A gâr edrych neu grwydro
Aed i fawrhau hud y fro,
Hen erwau hil ein parhad
A rhuddin ein gwareiddiad,
A pha le fel Ystrad Fflur
'I dawelu pob dolur'.

E ddaw gŵr y cywydd gwin
A'i bêr gân uwch Brogynin,
Hendir grawn a blodau'r grug
A welir yn Rhos Helyg;
Rhodio hyd lannau Rheidol
Ddaw â naws hen ddyddiau'n ôl.

Ac felly dewch gyfeillion
Yn dyrfa hael i'r dref hon,
Dewch â'r haf a dewch â'r hwyl,
Profwch o wefr ein Prifwyl;
Wele'r lle a eilw'r llwyth
Yn Awst i Aberystwyth.

J. R. Jones

YN Y LLEW YN ABER

Y llygaid
mor sgleiniog â'r gwydrau.
Swatient
yn emog fud
ynghwsg mewn masg meddw;
môr melfed y meddwl
yn glustog
rhag creithiau cweryl
ac ymryson ynfyd y geiriau
a bigai'n bryfoclyd
bryfetaidd, liw dydd.

Yr hyder yn y gân
yn hofran drwy'r niwl,
yn clymu'r cyhyrau
a chodi'n uwch
    ac uwch grochlefain gôr
  – yr 'estyn dwylo dros y môr';
y byw yn ôl y galon.

Ac yna,
'mollwng
yn sacheidiog lwyth
i 'sgubor wresog cwsg,
cyn i weindiwr cloc
y bysedd oer
ail–dicio
i dir rheswm.

Sgrin arwrol
nos sadyrnol
    wedi'i throi,
a dwrn diflastod
bore Sul
y coffi
    a'r cofio
a all chwalu
    mewn chwinciad

geyrydd gwêr
y noson gynt.

Y chwithdod
    wedi'r sioe,
a'r cwmni
    eto fyth
a glowniodd
        fyw.

Delyth George

I FYFYRWYR ABER, DDOE A HEDDIW

(Ar ôl gweld eu Horiel o Anfarwolion yn yr Eisteddfod Genedlaethol)

Dyna ing bod yn angof,
brîd y Col, byrred eu cof.
Er colli'r hen gewri gynt
di-hid o'u colled ydynt.
Di-anaf yn eu hafddydd,
di-boen er byrred y bydd.

Wyf finnau'n hen, grechwen grin,
yn anhysbys, yn *has-been*.
Aeth o gof fy nhaith i gyd,
afiaith fy nghwmni hefyd.
Hawliwyd fy siâr o'r helynt
gan blant na holant fy hynt,
rhai *cool* sy'n meddwl fy mod,
oedd ddoe'n dirf, heddiw'n darfod.

Ni chofir yn hir am haf
yn haul gwyw canol gaeaf,
a di-hid yw'r gawod wen
o chwalu tecach heulwen.

Ha! gyfoedion gofidus,
wedi'r haf, ni ydyw'r us
a dynion nas adwaenir
yw'r to sydd yn tendio'n tir.
Ni chanant, ni chofiant chwaith
y gân fu'n wresog unwaith,
yr anthem a ganem gynt
yn ein hwyl fel ein helynt.

Pwy ŵyr ffawd ein proffwydi
a mae nawr ein hemyn ni?
Ni ŵyr un gair ohoni.
Mae haul ein bore melyn?
Mae blas ein cymdeithas dynn?
Golchwyd y traethau'n galchwyn.

29

Yn ein gwlad mae newydd glic,
ablach mewn lownj a phyblic,
ac o rith cocŵn eu grant
am ystên ymestynnant
a chanant, nyddant fel ni
eu caniadau cyn edwi.

Ha thelyn brin y crinwydd!
Di-ddal oedd glendid dy ddydd.
Hafnosau y pibau pêr,
yn chwimsyth daeth eich amser
ac yng nghôl ein dethol dir
eich alawon ni chlywir ...

Gwynfor ab Ifor

BECHGYN ABERYSTWYTH

(gydag ymddiheuriad i Dafydd ap Gwilym!)

Plygu rhag llid yr ydwyf,
Pla ar holl lanciau y plwyf!
Am na chefais, drais drawsoed,
Yr un ohonynt erioed.
Na llencyn, na phensiynwr,
Na gwrywgydiwr, na gŵr.

Pa rusiant, pa ddireidi,
Pa fethiant, na fynnant fi?
Pa ddrwg i ddyn dymunol
Fy nenu yn gu i'w gôl?
Nid oedd gywilydd iddo
Fy ngadael ei fwytho, dro.

Ni bu amser na charwn,
Ni bu chwant mor drech â hwn.
Ni bu nos yn y dafarn
Na bûm, ac eraill a'i barn,
Â'm wyneb at y bechgyn
A'm gobaith ar fachu un.
Ac wedi'r hir cilwenu
Dros ysgwydd at y llanciau lu,
Dywedodd un gŵr cadarn
Wrth y llall, i roi ei farn:

'Y ferch dew, draw, a'i chrechwen
A gwallt "Boy George" ar ei phen,
Rwy'n meddwl, o'r arwyddion,
Mai tipyn o hwren yw hon.'

'Pa bwrpas cwrso honno?'
Medd y llall wrtho fo,
'Gwell gen i beint, a chwmni
Criw o fois, nag un ferch hy.'

31

Siom yn wir, i wylaidd ferch,
Glywed y geiriau diserch.
Mewn dig, fe ymwrthodaf
Â bechgyn atgas, ac af
Heb oedi mwy, gam wrth gam
At ferched Comin Greenham.
Rhwystredig serch a'm cynnail
Mewn cymuned pridd a thail.

Ffieiddio dynion rhagom –
Rhoi'n hegni i rwystro bom!

Ann Griffiths

PENPARCAU

Tynnodd y nos ei llen
   Dros ffenestr fy stafell,
Lapiodd fy neiliog bren
   Yng ngwyll ei chafell,
Tagodd fwrlwm cân
   Fy adar cynefin,
Y deryn du a'r frân,
   Mud pob gylfin;
Yna drwy'r brigau blêr
   Daw dawns pelydrau
Fel cawod wreichion sêr
   O wybren Penparcau.

Yno ym mlychau'r tai
   Mae cyrff yn gorwedd,
A dim ond anadl fain
   Rhyngddynt a'u hadwedd:
Nid adwaen breswylwyr y sêr
   Sydd yno'n clwydo,
Ond gwn i un o'r glêr
   Fod yno'n breuddwydio –
Yno bu Gwenallt yn gwau
   Ei ddewr ganiadau,
A dim ond ei gorffyn brau
   Dan sêr Penparcau.

Esmwyth hun a fo'ch rhan,
   Breswylwyr y serog riwiau,
Nes dyfod yr haul yn y man
   I'ch codi o'ch gwâl a'ch teiau,
A'ch gyrru ar olwyn chwim
   I'r dref fel gwenyn yn heidio,
A chwithau heb wybod dim
   A ddeuwch yn ôl ai peidio;
Pa ots, nid diwedd ein byw
   Fydd wybren afagddu'r angau,
Cawn ffoi drwy ras ein Duw
   Tu hwnt i'r sêr o'i grafangau.

R. Bryn Williams

BEDD CARADOC EVANS
MYNWENT HOREB, Y GORS, ABERYSTWYTH

Cawsom hyd i'r bedd o'r diwedd, wedi inni ein dau
durio drwy'r clystyrau drain
ac ymorol ymysg y mieri,
ac nid rhyfedd i mi fethu'i weld pan fûm yno o'r blaen
yn turio ym mynwent Horeb,
â'r garreg ar ei gorwedd
dan dyfiant, fel cilddant coll
yng nghanol y rhes lawn dannedd o gerrig beddau.

Ac yno yr oedd, yno, yn guddiedig yn nrain
a thyfiannau'r fynwent;
yno yr oedd, a'r mieri
dilornus yn dial arno,
danadl a Duw yn dal dig,
ac yntau'r gwawdiwr yr un mor ddirmygedig
wrth orwedd yn ei fedd ag yr oedd yn ei fyw.

Ac ar ei fedd yr oedd yr arysgrif hon:

> *Rhoddwch fy nghorff dan briddyn*
> *ysgafn, fel y gall y glaw ddisgyn*
> *yn fân, fân ar fy wyneb,*
> *ac fel y bydd siffrwd adenydd*
> *y glöyn byw ar glyw'n bêr.*

Ond ni ddaw na glaw na glöyn
i'w gyrraedd dan y garreg
o achos trwch y mieri sy'n difenwi ei fedd.
Am fawa ar ein gwag-grefydda cafodd garreg fedd
anhysbys yn gosb;
bedd blêr dan drahauster y drain
am fynnu dadlennu pechodau ei bobl dlawd,
ac am iddo hawlio'i ddialedd
ar ragrith y grefydd felltith honno a folltiodd
y drws rhag y weddw drist,
y weddw o fam nad oedd ganddi fodd
i dalu ei hatling i'r coffrau,

ac yntau'n wawdlyd o'r grefydd nad oedd yn fodlon
maddau'i dyledion i'w fam weddw dlawd.

Gadawsom y fynwent uchel,
ac aethom heibio i'r capel a oedd wedi cau
ar ein ffordd yn ôl at y car,
heibio i gapel tebyg
i hwnnw a gaeodd unwaith
y drws ar y weddw drist.

Alan Llwyd

NEW ROW

Lle dyry ffordd y mynydd
Dro pedol sydyn iawn
Fe hoeliwyd pentref unstryd
Â'i draed ar dir y mawn.

Tai llwydwedd gwŷr y gweithie
Godwyd heb fwrw'r draul,
Rhy gul oedd ei ffenestri
I'r eciwmenaidd haul.

Mor dwt â chychod gwenyn
Swatient ar fin y gors
Cyn taflu'r lantar-gannwyll
A chyn dyfeisio tors.

Pan ddarfu ffrwd egnïon
Gwythïen blwm y gwaith
Rhythai socedi clwyfus
Mewn gwae o'r muriau llaith.

Er cuddio rhag fandaliaeth
Dwrn y dwyreinwynt main,
Ar estyll eu ffenestri
Sgriblwyd graffiti'r drain.

Pwy yw y rhain sy'n chwennych
Sgerbydau godre'r bryn
Cyn porthi blys y gwerthwyr
Yn swyddfa'r sieciau syn?

Tu ôl i'r môr o wydrau
Sy'n gloywi wyneb stryd,
Mae tystion y datguddiad
Rhwng muriau powld eu byd.

Vernon Jones

LLYNNOEDD TEIFI

Fy arian oll fe rown i'n
ufudd am lynnoedd Teifi.
Am eiliad dwym o heulwen
a lein hir a phluen wen,
a chysgod o bysgodyn
o dan rudd llonydd y llyn.

Ond i'r dŵr a'r dyfnder du
fy hiraeth sy'n diferu,
o dir mawn fel dŵr mynydd;
diferion surion o sudd.
A lle'r oedd llynnoedd mae llid
o gleisiau y glaw asid.

Gwenallt Llwyd Ifan

MERCH Y BRYNIAU

Ffarwél i stesion Strata,
Ffarwél i Ystrad Fflur,
Ffarwél i Lynnoedd Teifi
A'u dyfroedd pur,
Ffarwél i'r grug a'r fawnog
A llwch y gweithie mwyn,
Ffarwél i ferch y bryniau
A'i serch a'i swyn.

Mae hiraeth am y dyfroedd
Ym mref yr hydd,
Mae hiraeth yn y nos am weled
Toriad y dydd,
Mae hiraeth ar hen aelwyd
Am gael ailgynnau'r tân,
Mwy yw'r hiraeth sy'n fy mron
Am gariad geneth lân.

Rhudd yw ei gruddiau,
Rhosyn mewn rhith,
Dau lygad emrallt
Yn gloywi fel gwlith
Ar y gwawn.

Er gweled ar fy nheithiau
Ryfeddodau'r byd,
Ac er i diroedd pell dros ennyd
Ddwyn fy mryd,
Gwn na fyddaf fodlon
Nes profi eto'r swyn
Yng nghwmni merch y bryniau
Ar Esgair Mwyn.

Tecwyn Ifan

38

FFAIR RHOS

Ni luniwyd unlle'n lanach – o ru'r byd
  Goror beirdd yw mwyach;
  Yn nhir mwnwr a mynach
  Dihareb o bentre bach.

Dafydd Jones

TIR Y GORON

Mi garwn wastraffu blynyddoedd di-elyn
Rhwng clawdd Pen Maen Gwyn a sticil Banc Melyn.

Lle mae Lleuad Fedi yn noethi ei dannedd,
Lle mae gwaddod yn bore-garthu eu hannedd.

Yn y dwniddimrwydd ceir bro i'w hanwylo
A gaeaf y gwynt yn y mawndir yn wylo.

Ond pan ddaw haf i Ros Cwm i luesta
Caf lyncu llonyddwch y teirbuwch siesta.

Ailganfod ym mlinder niwrotig fy nyndod
Gyfaredd pob darllen-ddiogi plentyndod.

Mi garwn wastraffu blynyddoedd di-elyn
Rhwng clawdd Pen Maen Gwyn a sticil Banc Melyn.

W. J. Gruffydd

Y FAGWYR WEN

Cefais freichiau yno pan gollais nhad a mam
Yn ei ddeugain namyn dwy ac yn ei deg ar hugain,
Hen le cartrefol mewn craith ym morddwyd mynydd,
Bu'n enwog ers awelwyntoedd am ei groeso, ei riwbob, a'i
    Biwritaniaeth,
Ac amynedd Job a'r disgwyl yn sychu gwair Cae Dan Tŷ.

Llethrau a meinen dau-geffyl mewn clwstwr o dyddynnod
    un-gaseg,
A'r brenin nas gwelsom yn derbyn rhent Gŵyl Fihangel;
Collodd y Weun a'r Cefen eu cnawd ym mlynyddoedd medi'r
    mawndir
Pan oedd y plant yn fwy niferus na sylltau'r wythnoswaith.
Codwyd gwrthglawdd gwrthryfel y gwarchae o'r afon drwy'r
    Tir Du
Rhag y stoc a fynnai sgwlca a hafbori eu brwyndir.

Rhannodd nhad-cu ei deiroes rhwng ei Garmel, Esgair Mwyn
    a'i deulu,
Gan daflu dipyn ychwaneg i'r capel a'i gangen flodeuog;
Gwariodd mam-gu ei horiau ar lawenydd cafellau y geni
A gwisgo sanau'r meirwon ym mharlyrau tywyll yr Angau,
Cyn dod adref i dderbyn y wawr o gôl ein breuddwydion.

Un Mai-hela-cerrig gwelais nhad-cu a Leion
Yn arwain y gert ar gyfeiliorn o fewn modfedd i dragwyddoldeb,
A dianc o drychineb chwerthin-y-graig uwchben Cwm Cedni;
Diolchais am fod y Brenin Mawr yn adnabod y ddau
Ond bu'r waredigaeth yn awel i nos Wener y Seiet.

Yn y dyddiau hynny yr oedd gair yr Arglwydd yn werthfawr,
Hebddo byddai marw fel plentyndod bwci'r Berth Isa';
Dôi'r gweinidog a'r diaconiaid â theligramau'r Duwdod,
Dweud popeth mewn brawddeg neu ddwy am orfoledd y daith.

Daliasom i gipio brwynhydref o'r sychwynt i'r ydlan
A'r landlord pell ar wyliau difodiant ei ffesant a'i betris;
Gwthio sachau-rhag-lluwch-rhag-ieir i gau genau'r sièd wair,
A chysgod y Sabath yn heglu hyd at fachlud ein Sadwrn.

Nid yw'r map yn dweud dim byd am ysbwng-groen ei gawnen
Nac am y cwm yn wahanglwyfus o eira mis Mawrth,
Ond gwelais denantiaid y brenin ar dir yr ymylon
Megis arglwyddi wrth wahodd ymwelwyr i weld y lloi cynnar.

Mae'r calendr adnodau o hyd rhwng y ffliw a'r ffenestr,
A throi'r ddalen mor bwysig a newid dillad y gwelyau,
Caf ddyrchafu afradlonedd fy nhraed i fraich llathen o sgiw
I wrando ar y ddwyfil blynyddoedd yn llefaru hwyrnos eu Gair.

W.J. Gruffydd

COF-GOLOFN Y PENTRE

Ar ganol sgwâr y pentre,
Lle gynt 'roedd gweithdy'r go',
Mae meinir hardd mewn mynor
Yn awr i gadw co'
Am fechgyn glannau Teifi,
Sy'n huno hwnt i'r lli;
A chollir llawer deigryn
Wrth edrych arni hi.

Rhyw ddwyfil o flynyddoedd
Cyn codi'r golofn hon,
Mewn dinas oedd yn berchen
Hanner y byd ymron,
Yr oedd rhieni'n wylo
Mewn llawer harddwych gell,
Am fechgyn glannau Tiber
Fu farw yng Nghymru bell.

Evan Jenkins

BARDD

(I gofio Ifan Jenkins, Ffair Rhos)

Pa beth a welir ogylch Ffair Rhos? Defaid, ebolion,
    Llynnoedd a rhedyn a grug a chwpanau mêl,
Llwybrau anhygyrch, gwifrau pigog a pholion
    A hen werinwyr, dros Gymru, yn fawr eu sêl.
Cyfarth cŵn, bugeiliaid a chwiban cornicyll,
    Pysgotwyr di-drwydded yn rheibio afonydd a llyn,
Aur y twmpathau eithin yn cuddio'r picyll,
    A lluwch yr eira'n feddal ar graig a bryn,
A rhywun swil yn llithro i mewn i'r ystafell,
    Dweud stori fer a chilio'n ddisymwth i'w daith,
Prin amser i estyn i'r cwmni newynog dafell
    O fara'r awen, a gair neu ddau am yr iaith;
Ond eisteddai Ifan am oriau, a siarad yn rhydd
A dal pen rheswm â'i ffrindiau, yng ngweithdy'r crydd.

T. E. Nicholas

I BONTRHYDFENDIGAID

Os ewch i Bontrhydfendigaid, ceisiwch golli'r llwybr
Rhwng Ystumtuen ac Ystrad Fflur, lle mae llongddrylliad gwynt
Yn suddo yn y glaswellt a'i drwyn tua'r wybr.
Gadewch i gân gylfinir sgwrio'i gwallt dros y sothach rhudd
Sy'n ffrwt drwy ddraeniau'ch corff. Taw faint bo'r chwant,
Peidiwch â gwrando ar y macadam a hyllt y gweunydd
Fel celwydd plismon yn erbyn Cymdeithas yr Iaith;
Taw faint bo'r daith, na hidiwch ond am hud yr hynt
Er i'r cloc brygowthan am nos yn colli'i gwaith,
Oherwydd honno ydyw'r ffordd i fynd i'r Bont.

Bobi Jones

45

Y CUDYLL UWCH YSTRAD-FFLUR

Ddygwyl Luc, pan oedd wybren hydref yn gynfas o ddur,
A'r llygod yn fud yn hen feini'r allor a'r gangell,
Roedd y cudyll yn dawnsio a chylchu uwch Ystrad-fflur,
Ac ni chlywid siant yr un mynach o wyll ei fyfyrgell.
Nid oedd bardd yn y cyntedd yn canu am lety'r nos
Nac elusen wrth borth, nac ymhoffi yn chwedlau marchog.
A pha ddisgwyl seiniau'r sagrafen mewn murddun ar ros
A Chymru heb roi ei chred nac i Dduw na thywysog?
Breuddwydiem ninnau, y deunaw o dystion, y dydd
Y tyngwyd yma gan arglwydd ac abad i'n hundod;
A chlustfeiniai'r hen furiau'n awchus ar eiriau'r Ffydd
Mewn efengyl a phader a bendith ac emyn i'r Drindod.
Dathlem ein cred a'r cof am ein tywysogion,
A'r cudyll yn gwylio'i gyfle uwchben yr adfeilion.

Gwynn ap Gwilym

DAFYDD AP GWILYM

(Detholiad)

Pwy sy'n mynd ar derfyn dydd
I dawelwch y dolydd?
Trwbadŵr, gŵr digyrrith,
A'i law fel y glaw a'r gwlith,
Treiglwas prydferth, a chwerthin
Yr hafau aur ar ei fin,
Gwrid ei ryddid fal rhuddem,
A'i droed mor chwareus â'i drem;
Penciwdod teyrnas traserch,
Llueddwr Mai, lladdwr merch!

Mae iddo glog marchog mwyn,
Hawddfyd y crwydrad addfwyn,
Fe ddwg arf digardd, arddun,
Heb ei ail am drechu bun,
Offeryn hoff awr y nwyd
A bereiddia iaith breuddwyd,
Llesmeiriol, dwyfol fel dydd,
Dwyfol pan gano Dafydd,
Glew dihafal pob talar
Am ergyd twym y gitâr.

Hen gitâr nosau cariad – nosau mwsg,
Nosau mêl a lleuad,
Nosau mwyn uwch cynllwyn câd,
Hen nosau temlau teimlad.

Ofer y gwâd abades – ei hanaf
Pan gryno'r tant cynnes.
Arddel ei grudd liw a gwres
Hafau annwyl y fynwes.

Bydd bêr ei awen heno – a'i londer
Wrth leiandy glasfro.
Onid pruddlwyd Breuddwyd bro
Yn yr annedd oer honno?

Wrth draed Iôr plyg y forwyn – yn lili
   Welwlwyd yn ei gwanwyn;
   Ond ar ganol adolwyn
   Tery mawl y cantor mwyn.

Ar ei gitâr mae'n taro – serchgan bêr,
   Serchgan bardd diguro.
   Cân ei danbaid enaid o,
   A chân ei ddwyfraich yno.

Deffry'r adar ac aros – yn dawel;
   Gwrandawant rhwng deilios
   Ei gywydd, a dysg eos
   Serenâd gormeswr nos.

Gogleisir, enynnir nwyd – y forwyn
   Rhwng hen furiau dulwyd.
   Daw'n ôl dân i leian lwyd,
   I gell, y serch a gollwyd.

Ond gŵyr ei hanian chwannog – gywilydd
   Rhwng y gwaliau creithiog.
   Hi ddwg waradwydd gwridog,
   'A'i grudd fal rhosyn y grog.'

Oddi allan mawryga'r tannau
Y gred sydd fwyn gan swyn rhosynnau;
A chlywir cablu'r muriau – lle gwelwodd
Un a flodeuodd dan ofal duwiau.

Erlid y gwrid lwydni gras – o'i deurudd;
   Daw hiraeth i'w lluddias;
   A gwaedd ei chôl am solas
   Dwyfol hud hafau a las.

Hi'r dlos drwy'r nos yn glanhau
Euogrwydd â llif dagrau,
Golchi'r gwrid a gwlychu'r gwres,
Gwneud manod o gnawd mynwes;
Yntau'n mynd ar derfyn dydd
I dawelwch y dolydd;
Yno'n cael gwanwyn calon,
Swyn haf a'i wres yn y fron,
Gwely mwsogl y meysydd,
Gwâl ortho dan gysgod gwŷdd,
Melys gwsg ym mhlas y gog,
A hedd awen ddieuog.

Dewi Emrys

YSTRAD FFLUR

Mae dail y coed yn Ystrad Fflur
   Yn murmur yn yr awel,
A deuddeng Abad yn y gro
   Yn huno yno'n dawel.

Ac yno dan yr ywen brudd
   Mae Dafydd bêr ei gywydd,
A llawer pennaeth llym ei gledd
   Yn ango'r bedd tragywydd.

Er bod yr haf, pan ddêl ei oed,
   Yn deffro'r coed i ddeilio,
Ni ddeffry dyn, a gwaith ei law
   Sy'n distaw ymddadfeilio.

Ond er mai angof angau prudd
   Ar adfail ffydd a welaf,
Pan rodiwyf ddaear Ystrad Fflur,
   O'm dolur ymdawelaf.

T. Gwynn Jones

I LAWR YNG NGHOED CAEMADOG

I lawr yng nghoed Caemadog
  Mae'r defni'n treiglo'n rhydd,
Nes hudo'r blagur cegrwth
  I sisial rhwng y gwŷdd;
A thyn gwniedydd natur
  Ei wisg brydfertha 'rioed
I guddio'r nyth ddiweddar
  Yng Nghalan Mai y coed.

I lawr yng nghoed Caemadog
  Mae'r haf ar goll i gyd,
A'r heulwen yn afradu
  Ei fflam mewn gwair ac ŷd;
Pob llwyn yn rhoddi amnaid
  I gipio'r dydd i'r gwyll,
A'i lwyr garcharu yno
  Wrth odre'r gwern a'r cyll.

I lawr yng nghoed Caemadog
  Tyr cwymp y cnau drwy'r wig,
A'r masglau briw'n weddillion
  O'r pyngau ar y brig.
Mae'r wiwer yn cynffonna
  Ei ffordd i hendre'r dail
I guddio 'storfa'i llawnder
  A chysgu wrth ei sail.

I lawr yng nghoed Caemadog
  Pan ddelo'r lluwch i'r llain,
Bydd coban wen i'r deri,
  A siaced fraith i'r drain;
A gwelir onnen unig
  Â'i chlog amdani 'nghlwm,
Fel petai mynach gwarrog
  Drachefn ar daith i'r cwm.

Dafydd Jones

GWNNWS

Daeth hafddydd ar ei hynt,
A'r gwenyn aur â'u grŵn
A glywir ar bob gwynt
O flodau'r bysedd cŵn.

Mae rhosyn gwyllt mewn llwyn,
Mae'r gwyddfid ar y berth,
Gwyn fyd a wêl eu swyn,
Gwyn fyd a feddo nerth.

Mae bywyd yn ddi-ffug
Ar gors a chlawdd a chae,
Ond ni chân clychau'r grug
A'r ddaear fel y mae.

Mae ar dywarchen graith,
A'r bleth o flodau'n wyw,
Hwyrach na faliwn chwaith,
Ond bedd fy mrawd i yw.

David Jones, Blaenplwyf

BUGEILGERDD

(Detholiad)

Nanteos heb orffwys, o'i mebyd, a Mabwys,
A'r Trawsgoed, le gwiwlwys, sy'n cynnwys gwŷr call;
Gwell, ambell awr ddigri, gael rhan gyda'r rheiny
Na phoeni trysori tros arall.

Pob math ar fendithion, fy nghâr, am gynghorion,
Fo'n llonni dy galon mewn dynion a da:
Di-wael fo dy wely mewn lafant a lili,
A'r mêl yn diferu'n dy fara.

Mae'n bwrw yng Nghwm Berwyn, a'r cysgod yn estyn,
Gwna heno fy mwthyn yn derfyn dy daith,
Cei fara a chawl erfin iachusol a chosyn,
A 'menyn o'r enwyn, ar unwaith.

Edward Richard

53

Y GOF

I

Lle clywir nadau'r dymestl gyda'r nos
    Ar Fanc y Grip, a'r gaeaf yn y tir –
Lle clywir murmur araf Wyre dlos
    Ar nawn o haf islaw'n y dyffryn hir –
Yno, mewn bwthyn eithaf llwyd ei raen
    (Rhag mwg yr efail oedd i'w ochr efô),
Y ganwyd 'nhad, ryw dro'n yr oes o'r blaen,
    Yn un o dŷaid plant hen wledig o'.

Bu brin ei ysgol, roedd ei fyd mor dlawd,
    Cyn gorfod mynd i'r efail at ei dad;
Ac ymrymusodd o wynebu ei ffawd,
    Ac o bedoli trwm geffylau'r wlad.
Ni cha'dd ei arbed rhag caledwaith ddim,
    Yn sŵn y fegin fawr a'r eingion ddur;
A'r geiniog leiaf (chwerw y meddwl im),
    Ni ddôi heb ddisgwyl maith a geiriau sur.

Carodd ddirodres fywyd gwŷr y pridd,
    A'u difyr ystorïau am a fu;
A charodd gywair llon a chywair prudd
    Alawon ac emynau'i henwlad gu.
Canai'n y côr na chollodd, ond ar gam;
    Bu lawen yn nigrifwch bore'i oes;
A gallai golli deigryn, fel ei fam,
    Pan folai'r hen bregethwyr Waed y Groes.

Rhyw Galangaeaf rhewllyd, daeth i'r fro
    Lances o forwyn dros y Mynydd Bach,
A'i llygaid glas yn hudol iawn eu tro,
    A hoen cyforiog yn ei chwerthin iach;
Ac ef, o'i chanfod, wybu boen i'w ais –
    Poen nas lliniarwyd oni cha'dd ei llaw;
Un bore fe'u priodwyd, *ond roedd llais*
    Clychau y llan yn boddi yn y glaw!

II

Dechreuodd 'mam a 'nhad eu byd, ill dau,
　　Mewn bwthyn cyfyng oedd fwy clyd na hardd,
Tan lethr eithinog, rhwng prysglwyni cau,
　　Ar gyrrau isaf mamfro Ieuan Fardd.
Roedd tinc yr eingion yno o'r gwawriad gwan
　　Hyd gefn y nos yn atsain dros y wlad,
Cans oni ddygai'r ffermwyr o bob man
　　Geffyl neu offer fyth i efail 'nhad?

Clybuwyd lleisiau'i blant cyn hir yn dod
　　O'r cartref syml, a hwiangerddi mam;
Ac o bai'r cwpwrdd lwm, gofalai fod
　　Heb ddim ei hun cyn i'w rai bach gael cam.
Fel 'nhaid o'i flaen, fe gerddodd yntau, do,
　　Drwy laid buarthau'r ffermwyr fwy na mwy,
Cans yr oedd talu am lafur blwyddyn go'
　　Fel rhoi elusen yn eu golwg hwy.

Ym Mynydd Bach, mewn gefail arall un,
　　Am hir flynyddoedd wedyn gweithiodd 'nhad . . .
Ac ar ei phentan 'rwy'n fy nghofio f'hun
　　Yn bedair oed ar lin hen gobliwr gwlad.
Gwelais yng ngwyn a choch a glas y tân
　　Ddewiniaeth ryfedd, nas adnabu'r byd,
Ond teimlais, a hi'n hwyr, pan losgai'n lân
　　Fod cariad 'nhad yn well na'r swyn i gyd.

Dangosai'i ochr pan fyddai'n lecsiwn frwd,
　　Ac ni bu neb onestach ar ben ffair;
Wrth Orsedd Gras yr oedd yn fwyn ei fŵd,
　　A medrai lawer pennod yn y Gair.
Tlodi ac adfyd mynych, fel rhyw drais,
　　Ga'dd Mam ac yntau o'r Anhysbys Law,
Ond ni rwgnachent – *cofient fyth am lais*
　　Clychau y llan yn boddi yn y glaw!

E. Prosser Rhys

CWYN AM EI FARW CYNNAR

(Edward Prosser Rhys, 1900–1945)

Â'r haf i Langwyryfon
A'r durtur difyr ei dôn.

> *Cyfrannwr sawl cyfrinach*
> *Ni ddaw byth i'r Mynydd Bach.*

Daw heddwch, daw prydyddion
I holi am si a sôn.

> *Rhy isel fydd Euroswydd*
> *A rhy sownd i ruthr ei swydd.*

Daw papur, daw awduron,
Daw hael awr y genedl hon –

> *A rhoed y mwyn gymrawd mau*
> *Yn y llan di-gynlluniau.*

Gwilym R. Jones

PLANNU PERTHI

(Detholiad o 'Sŵn y Gwynt Sy'n Chwythu')

Roedd tir y Llain ar y gors uchel
sydd ar y ffin rhwng Caron-is-Clawdd a Phadarn Odwyn
yn goleddu o'r Cae Top i lawr at y Waun,
a thu hwnt i'r Cae Top roedd llannerch o goed duon –
pinwydd a 'larch' tal – i dorri'r gwynt oer,
gwynt y gogledd.
Ac yna'r mân gaeau petryal
fel bwrdd chwarae draffts, neu gwilt-rhacs,
ac am bob un o'r caeau, berth.

'Y nhad a fu'n plannu'r perthi pella' o'r tŷ –
perthi'r Cae Top a'r Cae Brwyn –
a minnau'n grwt bach wrth ei sodlau
yn estyn iddo'r planhigion at ei law;
tair draenen wen a ffawydden,
tair draenen wen a ffawydden yn eu tro;
a'i draed e'n mesur rhyngddyn' nhw ar hyd pen y clawdd
a'u gwasgu nhw'n solet yn y chwâl bridd-a-chalch.
Yna'r weiro patrymus y tu maes iddyn' nhw –
y pyst-tynnu sgwâr o bren deri di-risgl
wedi'u sinco'n ddwfn i'r tir byw –
a minnau'n cael troi'r injan-weiro ar y post
tra fydde fe'n staplo,
a'r morthwyl yn canu'n fy nghlust dan y ffusto.
A minnau'n mentro ar y slei-bach
ddanfon telegram yn ôl tros y gwifrau tyn
i'r plant eraill y pen draw i'r clawdd,
a nodyn y miwsig yn codi ei 'bitch'
wrth bob tro a rown i handlen yr hen injan-weiro.

'Nhat-cu, meddai 'nhad, a blanasai'r Caeau Canol –
Cae Cwteri, Cae Polion, Cae Troi –
ond roedd cenedlaethau na wyddwn i ddim byd amdanyn' nhw,
ond ôl gwaith eu dwylo ar y Cae Lloi a'r Cae Moch,
wedi plannu'r coed talgryf boncyffiog rownd y tŷ –
a gosod eirin-pêr yma a thraw yn y perthi.

Roedd llun mewn llyfr hanes yn yr ysgol
o'r Sgwâr Prydeinig yn yr Aifft,
(neu Affganistan neu'r India, efallai,
man a arferai fod yn goch ar y map, 'ta beth),
a rhes o gotiau coch ar eu boliau ar y llawr,
ail res y tu ôl iddi hi ar eu gliniau
a'r drydedd res ar ei throed,
a'r cwbl yn saethu anwariaid melyngroen ar feirch yn carlamu
a gwneud iddyn' nhw dynnu'n ddi-ffael i'r chwith ac i'r dde
      yn eu rhuthr,
heb allu torri trwy rengoedd di-syfl y sgwâr mewn un man.

A dyna fu'r perthi i mi fyth ar ôl hynny,
rhengoedd o ddewrion yn cadw'r gwynt a'r corwyntoedd
rhag cipio cnewllyn fy mod – caer fewnol fy Llain.
Ond nid anwariaid (er mor wyllt) ar feirch diadenydd
mo'r gwyntoedd, ond llengoedd o ysbrydion
yn codi, heb allu haltio yn eu rhyferthwy ysgubol,
yn grwn tros y perthi a thros frigau'r coed,
yn grwn tros y Llain heb ysigo teilsen o'r to,
ac yna dri chae o dan y tŷ
yn disgyn trachefn i'r gors
i erlid y mwsog crin a gwlân y plu-gweunydd,
a'u plethu a'u clymu yn sownd yn y pibrwyn.

A dyna lle byddem ni'r plant
yn ddiogel mewn plet yn y clawdd tan y perthi
a'r crinddail yn gwrlid i'n cadw ni'n gynnes,
(fel plant bach y chwedl wedi i'r adar eu cuddio â dail).
Doedd yr awel oedd yn tricial trwy fonion y perthi
ddim yn ddigon i mhoelyd plu'r robin a'r dryw:
ond uwch ben y perthi a'r coed, uwch ben y tŷ,
fry yn yr entrych, roedd y gwynt
yn twmlo'r cymylau, a'u goglais nes bo'u chwerthin gwyn
yn hysteria afreolus fel plant ar lawr cegin,
oni bydd gormod o'r chwarae'n troi'n chwithig yn sydyn
a gwynder y chwerthin yn cuchio, a duo,
a'r dagrau yn tasgu, a'r cymylau'n dianc,
ar ras rhag y gwynt, rhag y goglais a'r twmlo,

yn dianc bendramwnwgl rhag pryfôc y gwynt –
y gwynt erlidus o'r tu allan i mi,
a minnau'n saff yn y plet yn y clawdd tan y dail
yn gwrando ei sŵn, y tu allan,
heb ddim byd yn digwydd y tu mewn i'r hyn wyf i
gan ofal a chrefft cenedlaethau fy nhadau
yn plannu eu perthi'n ddarbodus i'm cysgodi yn fy nydd –
dim – er imi fynnu a mynnu.

J. Kitchener Davies

RHOS HELYG

Lle bu gardd, lle bu harddwch,
Gwelaf lain a'i drain yn drwch.
A garw a brwynog weryd
Heb ei âr a heb ei ŷd.

A thristwch ddaeth i'r rhostir –
Difrifwch i'w harddwch hir;
Ei wisgo â brwyn a hesg brau,
Neu wyllt grinwellt y grynnau,
Darnio ei hardd, gadarn ynn,
A difetha'i glyd fwthyn!

Rhos Helyg, heb wres aelwyd!
Heb faes ir, ond lleindir llwyd,
A gwelw waun, unig lonydd,
Heb sawr y gwair, heb si'r gwŷdd.

Eto hardd wyt ti o hyd
A'th oer a'th ddiffrwyth weryd;
Mae'n dy laith a diffaith dir
Hyfrydwch nas difrodir –

Si dy nant ar ddistaw nos,
A dwfn osteg dy hafnos;
Aml liwiau'r gwamal ewyn,
Neu lwyd gors dan flodau gwyn.
A'r mwynder hwnnw a erys
Yn nhir llwm y mawn a'r llus.

O'th fro noeth, a'th firain hwyr,
O'th druan egwan fagwyr,
O'th lyn, a'th redyn a'th rug,
Eilwaith mi gaf, Ros Helyg,
Ddiddanwch dy harddwch hen
Mewn niwl, neu storm neu heulwen.

Eto mi glywaf ateb
Y grisial li o'r gors wleb
I gŵyn y galon a gâr
Hedd diddiwedd dy ddaear.

B. T. Hopkins

RHAN O 'MEINI GWAGEDD'

(Deiliaid Glangors Fach yn trefnu eu byd)

IFAN   O'r borfa ar y cloddiau a'r twmpathau ar y gors
Fe gliriwn y rhent ag ŵyn-tac ac ebolion
– pob llwdn fel ebol, a phob poni fel march
erbyn y Gwanwyn . . .

RHYS   Brwyn y tir llaith sy'n melynu'r hufen;
fe allwn gywiro 'menyn a magu lloi . . .

ELEN   Eirin pêr ac afalau,
Ar gloddiau'r ydlan a'r clos, llus-duon-bach,
mwyar, llugaeron, afan a syfi, ddigonedd . . .

SAL   Pysgod Nant-las i swper, brithyllod a samwn,
llyswennod wrth y llath o rabanau'r gors . . .

IFAN   Mawn a choed-tân o'r tir ar eu torri . . .

RHYS   Y ffin yn ddiddos â pherth a phum weiren –
un weiren bigog a'r perthi o ddrain gwynion –
cloddiau taliaidd a'r llidiardau ar byst deri yn hongian . . .

IFAN   Pob cae yn ddidrafael o'r clos,
fe gwyd un gaseg y dom o'r domen
a daw'r llwythi ar y gwastad i'r ydlan . . .

ELEN   Yr haul ar ffenestri'r ffrynt drwy'r prynhawn,
a'r prysgau wrth gefn-tŷ yn torri gwynt y rhew.

SAL   Fe wnawn bres i brynu'r lle-bach neu i gymryd fferm fawr
i'r plant, fel bo preseb a rhastl yn llawn iddyn' nhw . . .

IFAN   Fe fydd ceiniog fach weddol tu cefn yn y banc
pan ddaw'n cwys ni i dalar . . .

J. Kitchener Davies

61

I. YMADAEL

'Roedd crafanc y nawdegau
Yn turio at fêr y tir;
Eidionnau'n mynd am ganu
Cyn brigo o flewyn ir,
A chorddi'r 'menyn cymell
Ar feddal hafddydd hir.

Fe droes Dai bach, bentymor
I'r stryd o'r crinllyd lain,
Gan gamu'n esgus-dalog
Dros riniog bwth ei nain,
Yn llanc â da ei logell
Ond sofren felen, fain.

II. DYCHWELYD

Hanner canrif ym mwrllwch Soho,
A chloes ei siop am yr olaf dro;
Dringodd binaclau ei alltud werin –
Plas yn y faesdref a blaensedd yn Jewin.

Yng ngŵydd y dyrnaid hynafgwyr syn,
Yn eu brethyn du a'u coleri gwyn,
Rhyw uchel Fehefin, drwy bersawr gwair hadau,
Aed â Dai'r gwas bach yn ôl at ei dadau.

John Roderick Rees

AFON WYRE

Blentyn y rhos
  A chwmni'r brwyn,
O ba le y cefaist dy ganig dlos,
  Pa le y cefaist dy wên o swyn?

Troelli yn iach
  Fore a nawn,
Ac wrth dorri syched briallen fach
  Ti geni dy enaid yn llawn.

Gwyddost fel fi
  Hiraeth am swyn,
A gwelais di ddoe ar lannau'r lli
  Yn hir wylo am gartre'r brwyn.

Nid ei di'n ôl –
  Ym merw'r lli
Dy gysur fydd cofio am ddawns y ddôl,
  Y blodau a'r gwenau di-ri.

J. M. Edwards

DRINGO RHIW BWYS

I fyny ar lethr y bryncyn
  Mae Seion fach y saint;
Mae dringo tuag yno
  I minnau heddiw'n fraint;
Er garwed fydd y llwybr
  Ac er mor serth y fan,
Daw grym o'r anwel uchelfeydd
  I'm tynnu tua'r lan.

Wrth esgyn o'r iseldir
  A syrthni'r hen gwm cau,
Fy nhrem sydd yn ehangu
  A'm gorwel yn pellhau.
Ysgydwaf lwch y dyffryn
  Oddi ar fy nhraed i ffwrdd,
Cans rhaid im ddringo peth fy hun
  Cyn daw'r un nef i'm cwrdd.

Cerddaf yng nghwmni melys
  Fforddolion hen y bryn,
Y rhai fu'n cyrchu Seion
  Flynyddoedd maith cyn hyn;
Ond dringant ryw ddiwrnod
  Pan ddêl yr olaf waith,
Heb deimlo dim o'r blinder gynt
  Na phrofi dim o'r daith.

J. M. Edwards

CORS CARON

Di, Garon, lidiog erwau – o afiaith;
    Rwyt yn dwf dignydau
    A'th wyneb brith yn parhau
    Yn iaswyrdd o gynoesau.

Donald Evans

Y BARCUT COCH

A gwichlef deil yn gochlyd – ar gyrrau
    Tregaron y cynfyd
    I hofran . . . hofran o hyd:
    Min aeonau mewn ennyd.

Donald Evans

MEWN LLAFUR MAE ELW

(Emyn Ysgol Uwchradd Tregaron)

O! Iôr bendigaid rho i ni
Nerth d'Ysbryd Glân i'th foli Di;
Boed union ein bwriadau'n awr
Fel y sancteiddier d'Enw mawr.

Tydi yw rhoddwr pob rhyw ddawn;
Am Dy fendithion llawenhawn:
Yng ngolau'r Gwir, er mwyn y Groes,
Cysegrwn ninnau'n dysg a'n moes.

Cawn weld o hyd mor hardd dy wedd,
A theimlo beunydd rin dy hedd;
Hyd ddyddiau'n hoes, cyhoeddwn ni
Na phalla dy ffyddlondeb Di.

Dduw holl-bresennol, rhown ein cân
Yn offrwm gwiw ar d'allor lân;
A boed holl elw'n llafur ni
Yn gymeradwy gennyt Ti.

D. Lloyd Jenkins

SOAR Y MYNYDD

Mae holi brwd bob haf yn Rhandir-mwyn
Am neidr o ffordd at gyntedd Soar fry,
Llond bws o bobol bell yng ngwlad yr ŵyn
Yn llawn chwilfrydedd am y lle a'r Tŷ.
Dros dorchau mwg eu fflasgiau, Duw a ŵyr
A welodd llygad heibio'i faen a phren,
Picnicwyr crefydd o dan lenni'r hwyr
Yn ffugio'n barchus dynnu cwr y llen.
Distawrwydd eilwaith draw ar ben y ffordd,
Nid oes ond olion traed, a darfu'r hwyl;
Daw gaeaf arall gyda'i hwrdd a'i ordd,
A Chymru'n colli 'nabod Sul a Gŵyl.
Ond erys gweddill o anacwyr ffydd
Rhyngddo a'i hersio'n ddarnau i Gaerdydd.

O. T. Evans

ER COF AM HEN GASEG CEFNGARTH

Dy rawd sy' wedi'i redeg – nid ei
Ar un daith ychwaneg,
Mwynhâ wedi d'yrfa deg
Hun y gŵys, yr hen gaseg.

D. Lloyd Jenkins

BRENIN GWALIA

(Cân i Farch Cob Cymreig)

Dy gôt llaeth-a-chwrw'n felfed-goronog,
Cryman y war yn fwa melltennog
Ac asgwrn fel astell o dan y ben-lin.

Sidan y siwrlen uwch egwyd gosgeiddig,
Coeth gymesuredd penllinyn bonheddig,
Deupen talïaidd yn llumanau byw.

Y cloriau cytbwys a goledd y balfais
Cylch yr asennau'n barelu'n llednais
A ddengys deithi dy linach di.

Camu'n ysgafndroed i'r cylch fel telyneg
A mynd-at-dy-dor ar urddasol redeg
A'r carnau cedyrn ar osgo-dal-dŵr.

Tân dy gyndadau yn sbardun rhythmig
Yn d'osod di yn anghyffwrdd unig
Sioe ar ôl sioe i ledio'r rhes.

Bu datsain dy garnau ar gerrig Llundain
Yn sioe ryngwladol y merlod mirain
A choeth y cynhaliaist-ti urddas dy ach.

Pedwarugeinmil yn curo'u brwdfrydedd
A'th bob ysgogiad yn llathru o fonedd,
Frenin hil werin y bryniau pell.

John Roderick Rees

FFAIR DALIS

Fe safai â'i ebol melyn
   Yn wladaidd ar gwr o'r ffair,
Gan ateb rhyw Sais a'i holai
   Fod y ceffyl yn codi'n dair.

A dyna hi'n 'ddala' a chynnig,
   A thaeru yn enw'r gwir,
Dan ostwng a chodi a thwymo,
   A dangos dwylo cyn hir.

A'r ebol yn gwrando'i berchennog
   Yn nodi'i rinweddau mor hy,
A'r Sais yn pentyrru ei feiau
   Ac amau ei arrau cry'.

A'i lygaid lleddf yn gymysglyd
   O ofn a phenbleth a phoen,
A'r gwerthu pen ffair a'r ymdaeru
   Yn drysu ei deirblwydd o hoen.

A chofiais innau am Dragon
   Yn ôl ar lethrau'r hen fro,
Yn strancio dan law ar ben talar,
   A phendrwm i gadw pob tro.

A'r bore ffair Dalis hwnnw
   Pan welais ei hebrwng o'r clos,
A'r disgwyl ofer ei weled
   Yn ôl ar y ffridd gyda'r nos.

Hen wladwr, na ostwng eto,
   Glŷn fel y dur wrth dy air –
Mae hiraeth am ebol, cofia,
   Yn rhywbeth na werthir mewn ffair.

T. Eirug Davies

NANS O'R GLYN

Nans o'r Glyn, Nans o'r Glyn,
Adenydd wrth dy draed yn dy gario'n chwim,
'Sneb yn y wlad all dy faeddu di,
A'r joci bach o'dd yn dy gyfrwy di.

Rhed, rhed, rhed. Rhed, rhed, rhed,
Rhed fel y gwynt, yn gyflym ar dy hynt,
Rhed Nans fach fel cynt.

Sŵn carne yn drwm ar y borfa las,
Cynnwrf ar chwŷdd ar ddechre y ras,
Ei mwng yn y gwynt a'i chynffon yn don,
Bob tro 'da'r cynta i'r llinell roedd hon.

Pob un yn rhyfeddu at y gaseg iach,
Methu deall ei chyflymdra, a hithau mor fach,
Fe roddai'r boneddigion unrhyw ffi
Er mwyn cael perchen ei thebyg hi.

Tawelu wnaeth sŵn dy bedol chwim,
Setlodd y llwch, aeth dy wefr yn ddim,
Ond gwn i mi dy weld ar y machlud fry,
Adenydd o aur wrth dy garnau di.

Doreen Lewis

71

ER COF

(am Dafydd Jones o Fwlch y Llan – bu farw 1956)

Ar sgwâr Llambed dacw eto
 Dafydd Jones o Fwlch y Llan,
Hen gymeriad doniol, gonest,
 Ac yn barchus ymhob man,
Gwn fod ganddo lu o ffrindiau
 O Landudno i Lan-crwys,
Ond ei ffyddlon gyfaill gorau
 Yw'r cert bach sydd ar ei bwys.

Tybed ple yr oedd ef neithiwr
 Pan chwibanai'r storom fawr,
Mellt yn troi y nos yn olau,
 A'r taranau'n crynu'r llawr.
Yn y gwely ar lofft y stabal,
 Neu yn gorffwys ar ryw fainc,
Ambell fref a thinc pedolau
 A gwichiadau llygod Ffrainc.

Ar ôl tramwy haf a gaeaf
 Dros rodfeydd y wlad i gyd,
Carwn weld yr hen bererin
 Bellach mewn rhyw gartref clyd.
Bwthyn bach ar fin yr heol,
 Wedi ei wyngalchu'n lân,
Gyda'i stôl, ei fwrdd, a'i lyfrau,
 Yn myfyrio wrth y tân.

Jack Oliver

I

FY MAM

Dim ond pedair ar ddeg ar hugain oedd hi
pan ddygwyd hi o'm gŵydd
a'r Angau cas yn fy amddifadu
yn ddwyflwydd a hanner.

Fe beraroglodd ei henw
ar wefusau'r sawl a'i cofiai:
'Mary, Rhydlas, dyna lodes fach lân oedd hi
ac mor ffein wrth bawb.'
Dro ar ôl tro y clywais y clod
a pheri ymestyn cortynnau fy nychymyg
i geisio ei gweld fel yr oedd
ond rhyngom o hyd yr anwel a'r anwybod.

Diolch ei bod hi
yn cerdded yn fy ngwaed
a'i llais yn llef ddistaw
yn fy ymwybod.

Ar ei charreg fedd, yr adnod
'Gostyngodd Efe fy nerth ar y ffordd,
byrhaodd fy nyddiau.'
Efe?
Gwae fi o ryfyg y maen
neu Duw nid yw gariad.

II.

FY NHAD

(1892–1969)

Eleni byddai ef yn gant oed
pe na bai'r Angau wedi ei gipio
er chwarter canrif bron.
Efe oedd fy mhensynnwyr,
y sicr ei farn
a ddysgodd yn ysgol profiad –
ac nid ystrydeb yw honno –
y ffordd i droi ar groesffyrdd byw.
Yno y mae'r arbenigaeth
yn fywydol dreiddgar.

Balchder ei hunan-barch.
Pilyn trwsiadus a glân
hyd at y sbrigyn hen ŵr
a bliciai'r Brenin mor gyson
o lapel ei got.
Esgidiau cymen a thynnu'r careiau'n dynn,
coler a thei bob amser.
Ei wisg fel ei ymarweddiad
a chymhendod ei dai a'i dir
a graen cysurus ei bob anifail
yn gosmos o gyfanrwydd gwâr.
Gwladwr an-wladaidd
'yn feunyddiol fonheddig'.

Ffermwr â greddf tyddynnwr
a'i safon 'gwerth' yn uwch na'i raddfa 'bris'.
Uwch popeth, dyn ceffyl
fel ei dad a'i frodyr,
athrylith cynhaliol y cob
yn y blynyddoedd main
a pherffeithrwydd 'troi allan'
ei farch a'i boni
yn ddihareb.

Ei reddf artist
yn harddwch porthiannus, sidan
y got a'r siwrlen a'r mwng.
Rhan o'n llên gwerin
yw Brenin a Titch* ac yntau
yn drindod ddifrychau
ar ffyrdd a buarthau gwlad.
Arwr ei lefydd aros
a'i enw'n perarogli yno.

Gofalai am y pethau bychain
hoelen mewn astell,
crib ar gwys,
calon mewn helem,
clwyd ar ei hechel –
dyluniad y dwylo.

Ef oedd angor ein haelwyd
pan oedd y cylch yn gyfan,
yn ddifyr ei chwedl ar drywydd
hen geffylau,
hen hanesion cefn gwlad
a'r mwg Ringer yn troelli'n sawrus
o'i bibell hamddenol.
Y mae ynof
ei anfarwoldeb.

John Roderick Rees

---

* Brenin Gwalia, ei farch cob enwog. Titch, y ferlen a gyd-gerddodd â'r Brenin gan
gario Nhad am ugain mlynedd. Bu Nhad yn trafaelu ei farch ei hun (canlyn ei
stalwyn), dri mis bob haf, am hanner can mlynedd.

JANE

Arni roedd delw Crist,
Yng ngweinidogaeth ei dwylo
Yn ei byw dihunan.
Hi roes ei breichiau amdanaf
Wedi claddu Mam
A'm dal yn dynn hyd y diwedd.
Fi oedd ei bywyd
Er nad oedd rhyngom
Gwlwm gwaed.

★　★　★

Eistedd wrth y tân
A'i hwyneb yn gerfiedig lonydd,
Heb wên, heb wg:
Hi a fu'n fam llawenydd,
'Aeth enaid ei henaid hi . . .'
Minnau yn gwarchod
Nos ar ôl nos ar ôl nos,
Gwarchod yr henaint bregus,
Heb sŵn ond tinc-dwy-ganrif y cloc
Ac oriog gyffro'r wyneb sgwâr yn y gornel,
Y dall wynepclawr
A drydaneiddir â chlec bys . . .
Drws i stiwdio'r ddynoliaeth
O'm llwyfan unig i.

John Roderick Rees

CERDD DDI-DEITL

(O Wersyll y Fyddin)

Fy annwyl, hoff rieni,
Os ffawd fydd arna' i'n gwenu,
Mi ddof yn chwim dros fryn a dôl
Yn ôl i lannau Teifi.

Fe soniant hwy am urddas
Afonydd mawr y deyrnas,
A minnau'n ddistaw ymhlith y llu
Yn dwlu am y Dulas.

O! melys iawn a hyfryd
Fydd gorffwys am un ennyd,
A threulio eto ddiwrnod gŵyl
Mewn llawen hwyl a gwynfyd.

Idwal Jones

ER COF AM

Mr Idwal Jones, B.A., Llanbedr Pont Steffan

Olwen,* paid â gorwylo,
Gormodiaeth o hiraeth ni thâl,
Cans ni thywelltir ar diroedd
Law o'r cymylau o hyd;
Nid ymyrrir o hyd â moroedd
Gan ruthriadau a gythiau gwynt,
A'r eira nid yn hir yr erys
Na rhew yn glog ar ein gwlad.

Y gwŷdd nid ydynt fel gweddwon
Yn grwm hyd y flwyddyn gron,
Pob hwyr, pob nawn, pob bore
A wêl dy hallt wylo di;
Yn ei wae nid â ein gaeaf
O bwl i bwl yn ddi-baid,
Wedi'r wylo daw'r heulwen,
Wedi'r nos daw'r wawr i nen.

Wedi'u gorchest o'r Wermwd garchar
I'w tref daeth yn ôl y Tri,
Gwybydd, fy chwaer, fod gobaith
I'n gwlad hoff, er ei gwaeled hi;
Idwal a'i ganeuon doniol
Ei ddiddanwch a'i ddifyrrwch a fydd,
Bydd ynddi ei gomedïau,
Miri a hwyl ei hiwmor ef.

Gwenallt

* Miss Olwen Jones, ei chwaer.

CWYMP FFYNNON-BEDR

Does gofio heno hanes – y Ffynnon,
        Na'i ffyniant, na'i mawrlles;
    Bu frwd haf, bu hyfryd des,
    Mawrhydi yma a rhodres.

Taw cainc yr ifainc wyryfon; – miwsig
        A maswedd y meibion;
    Ni rodia mwyn gariadon
    Na merch mwy'n y lannerch lon.

I'r llwch aeth pan ddaeth ei dydd – a darfu
        Ei dirfawr lawenydd;
    Y ddylluan fudan fydd
    Yn gori'n ei magwyrydd.

Troir ei chain lydain aelwydau – 'n erddi,
        A gwyrddion weirgloddiau;
    A mynych yr ych o'r iau
    Bawr lawr ei gwych barlyrau.

                                    David Davies

SYR DAVID JAMES

(Noddwr Eisteddfodau Pantyfedwen)

Mae arch . . . A thithau, Farchog – yn dawel
   Yn y düwch lleidiog,
  O'th gloi dan ddwylath gleiog
  Heb gŵyn gwynt, heb gân y gog.

Yn ifanc, gwelaist nefoedd – ym mawredd
   Tymhorau trwy'r cymoedd;
  I hogyn iach, digon oedd
  Llawr y maes, lliwiau'r misoedd.

Golud llanc fu gweled llyn – neu deg rwyd
   Y grug dros y dibyn,
  A didawffrwd y dyffryn
  Yn harddu'r allt â'i gwallt gwyn.

Tyfaist yn Aberteifi – ac wedyn
   Gadael bro dy eni,
  A chollaist swyn ei chelli
  Nes cael bedd yn ei hedd hi.

Mewn plwy, heb fympwy, heb fost – mewn ardal
   Mwyn wrda di-ymffrost;
  Hael yn wir heb gyfri'r gost
  Yn dy fywyd a fuost.

Dôi nodded i Neuaddau – anhygoel
   Gefnogaeth i gorau
  O rad swcwr dy sieciau,
  Ail Ifor Hael, i'w fawrhau.

Os pentref neu dref a drodd – o'u du awr
   Am dy help, fe dystiodd:
  'Bu'n ŵr hael, buan â'i rodd,
  A'i law rydd, hael y rhoddodd!'

Gyfaill, ni raid wrth gofeb – na bedd del!
    Byddi di'n ddihareb!
  A wêl undyn ffyddlondeb
  Neu fwy o sêl? Ni wêl neb.

Syr Dafydd, o Sir Deifi – dy Arfau,
    'Diderfyn Haelioni';
  Ac o dan dy Darian di
  Dy Arwyddair, *Da rhoddi*.'

Emrys Edwards

PANTYFEDWEN

Tydi a wnaeth y wyrth, O Grist, Fab Duw,
tydi a roddaist imi flas ar fyw:
fe gydiaist ynof drwy dy Ysbryd Glân,
ni allaf, tra bwyf byw ond canu'r gân;
rwyf heddiw'n gweld yr harddwch sy'n parhau,
rwy'n teimlo'r ddwyfol ias sy'n bywiocáu;
mae'r Haleliwia yn fy enaid i,
a rhoddaf, Iesu, fy mawrhad i ti.

Tydi yw haul fy nydd, O Grist y groes,
yr wyt yn harddu holl orwelion f'oes;
lle'r oedd cysgodion nos mae llif y wawr,
lle'r oeddwn gynt yn ddall rwy'n gweld yn awr;
mae golau imi yn dy Berson hael,
penllanw fy ngorfoledd yw dy gael;
mae'r Haleliwia yn fy enaid i,
a rhoddaf, Iesu, fy mawrhad i ti.

Tydi sy'n haeddu'r clod, ddihalog Un,
mae ystyr bywyd ynot ti dy hun;
yr wyt yn llanw'r gwacter drwy dy air,
daw'r pell yn agos ynot, O Fab Mair;
mae melodïau'r cread er dy fwyn,
mi welaf dy ogoniant ar bob twyn;
mae'r Haleliwia yn fy enaid i,
a rhoddaf, Iesu, fy mawrhad i ti.

W. Rhys Nicholas

YR EMYN TRICHANT

(Yn Eisteddfod Pantyfedwen)

Hyd gyrion bro'r gogoniant – y mae sôn
   Am y siec a gawsant,
 Er hynny, bois, mae'r 'Hen Bant'
 Yn trechu'r emyn trichant.

John Rowlands

I BENTREF CRIBYN

Gynt 'Cribyn y Clottas' – mae heddiw'n anaddas,
   Ac enw rhy ddiflas ar ddinas fel hon;
O gerrig eu muriau, calch llachar a llechau,
   Yn llawn o anheddau newyddion.

Bu'n rhyfel cyffredin o amgylch y Cribyn,
   Dan arfau bu'r werin dros frenin y fro;
Caer-foel, Rhydybannau, Maesmynach yw'r mannau,
   Mae nodau o'r caerau fu'n curo.

Ymhlith ei enwogion, Bardd Du Ceredigion,[1]
   I Gymru fu'n goron, a dynion y De;
Bardd tyner mewn anian, ac ni cheir am arian
   O ffrwyth fel ei *Winllan* yn unlle.

Gwas arall fu'n seren i'r beirdd ar ffurfafen,
   Mab rhywiog i'r awen, sef Prydydd y Coed;[2]
Yn gynnes fe ganodd yn felys i filoedd,
   Ond tawodd a hunodd cyn henoed.

Un ainos ei anian i fyw wrtho'i hunan,
   Cywreinrwydd trwy'r cyfan o waith Ifan Rhys;
A'r siopwr doeth hyglod a'i hanes yn hynod,
   Heb ormod o dafod – Tim Davies.

Nid dynion cyffredin fu gynt yn y Cribyn,
   A Chapel Sant Silin – rhai diflin eu dydd:
A cheir yma'r awrhon da weithwyr a doethion,
   I estron twymgalon a'i gilydd.

Cerngoch

---

[1] Daniel Evans (1792–1846), Maesmynach, Cribyn. Awdur *Gwinllan y Bardd* (1831).

[2] Ruben Davies (1808–1833), Tan-yr-allt, Cribyn. Bardd gwlad ac un o gyfeillion Daniel Ddu.

LLANWENOG

Plwy Gwenog! Pa le gwynnach? – a pha blwy
   Â phobl well, neu ffeindiach?
Ambell gawr, ambell gorrach;
Gwŷr o nod, a gwerin iach!

Cledlyn

LISA TAL Y SARN

Mae sôn am lawer merch,
  A sôn mae'n debyg fydd,
Tra paro swyn mewn serch
  A rhoglau pêr y gwŷdd:
Ond er pob sôn y sydd,
  Y glana' 'nôl fy marn,
    Ar ddôl neu dwyn,
    A'r pura'i swyn,
Yw Lisa Tal y Sarn.

Os cul yw Aeron fwyn,
  Gwna les o gylch i'r tir;
Os ar ei min mae brwyn,
  Mae hefyd feillion ir,
A llawer derwen wech
  Nad rhwydd ei gwneud yn ddarn,
    Wna'r las-fro'n ddrud;
    Ond dim fel pryd
Hoff Lisa Tal y Sarn.

Rhai ânt i wledydd pell
  I weld hynodion byd,
Pan allent lawer gwell
  Yn nhre' fodloni'u bryd.
Pe chwilient barthau byd
  O hyn i Ddydd y Farn,
    Am brydwedd deg,
    Chaent ddim mor chweg
 Lisa Tal y Sarn.

Mae hon 'run iaith â'i mam,
  A'i *gown* o wlanen gwlad;
Os gofyn neb paham,
  Yr achos byth ni wâd;
Ond er mor wledig yw,
  Yr ebol gorau'i garn,
    Braidd gwibiai'n gynt
    Drwy'r awel wynt
Na Lisa Tal y Sarn.

Drwy 'roglaidd dymor haf,
  Pa beth mor fyg â hon?
A'r gaeaf beth a gaf
  Mor wresog wrth fy mron?
Dan boethaf lewych haul
  Mae'n gordial 'nôl fy marn,
    A pheth y nos
    Rhag duaf lo's
Fel Lisa Tal y Sarn?

Tra nytha'r crychydd glas
  Ar ffinwydd mawr Llan Llŷr,
Tra cenfydd llygad gwas
  Afallen hardda'r mur:
Tra gwesgir merch at fron
  Ar dwyn neu weiriog garn,
    Pereiddiaf glod
    Fydd is y rhod
I Lisa Tal y Sarn.

Anhysbys

Y BARDD WRTH EDRYCH
AR DDYFFRYN AERON

Y mae hiraeth yn fy nghalon
'Mod i'n byw ym Mhen-y-bryn,
Ac yn gweled Dyffryn Aeron
Mor gysurus o'r fan hyn;
Yno'n llawnion mae'r ydlannau,
Wedi casglu'r ffrwythau 'nghyd
Tra mae'r striflyn gyda minnau
Bron â phydru'r maes i gyd.
Rhaid i rai fyw ar fynyddoedd,
Ni chaiff pawb mo'r dyffryn hardd,
Dyna'r achos o'n gwendidau,
Pechod Adda yn yr ardd.

Cerngoch

CAE'R BLODE MENYN

Cae'r blode menyn o'dd y cae dan y tŷ,
Ac wrth ei waelod rhedai'r lein fach yn ei bri,
Mi dreuliais orie yn chware yn hwn
Yn disgwyl am i'r trên bach ddod fyny o'r cwm.

Trên bach, trên bach a'i stêm yn gwmwl gwyn,
Trên bach, trên bach âi heibio fel y gwynt;
Cawn glywed sŵn chwibanu,
Gweld gwên y gyrrwr llon
Wrth gario glo a chario llaeth a phobol ger ei fron.

Trwy Ddyffryn Aeron rholiai'r trên o dan ei faich
Gan aros ymhob gorsaf; roedd llawer ar y daith,
O orsaf Aberaeron, Glwyd Ddu, Cilie a Felin-fach,
Penwern, Blaen-plwyf a Silian i Lambed âi yn iach.

Ond troi mae olwyn amser a'r cyfnod ddaeth i ben,
Bu'n rhaid i'r trên ddibennu, a'r fro yn plygu'i phen;
A nawr mae'r blode menyn yn mygu'r lein yn dynn,
Pob gorsaf yn adfeilion o'r golwg dan y chwyn.

Doreen Lewis

Y LODES O'R SYNOD INN

Eisteddai gyfereb â mi
   Pan gymerai'r cerbyd y bryn
I fyny o draeth Aberaeron
   I dueddau'r Synod Inn.

A phan, ar ein gwaetha'n deg,
   Y digwyddai i'n llygaid gwrdd
Fe syllai hi allan i'r cefnfor,
   Gan gadw'i golygon i ffwrdd.

Un waith y torrodd ei threm
   Mewn gwên fach hedfanol chwim;
Pan ysgydwyd ei basged o'r sedd:
   Gwenu heb ddwedyd dim.

Nid ydoedd naws pertach, rwy'n siŵr,
   Na lodesi eraill y rhos:
Dim ond gwridog rudd a dau lygad
   Meddal a gwallt fel y nos.

A pham yn y byd, pan ddisgynnodd,
   Ac ymaith i'w ffordd yn ddi-glwy,
Y teimlwn mor ddiflas wrth feddwl
   Na chawn ei gweled byth mwy?

Wil Ifan

BANC SIÔN CWILT

Ynghanol Ceredigion
Mynydd-dir uchel yw,
Ac arno medd traddodiad
Y bu Siôn Cwilt yn byw,
A dod â'i ysbail dros y rhos
I'w ryfedd nyth ym mherfedd nos.

Ond heddiw ni cheir arno
Ond defaid gonest, fyrdd,
Ac ambell hwsmon unplyg
Yn trin ei feysydd gwyrdd;
A'u glesni'n dweud y stori dlos
O dalu'r rhent wrth deilio'r rhos.

Cartrefle yr ehedydd,
A'r petris pert eu plu;
A hawlio'i hesg yn aelwyd
Wna'r sgwarnog â'r cefn du;
Cynefin grug a llus du bach,
A'r golau hir ac awel iach.

O ben ei drum canfyddir
Y môr a'r bryniau pell,
Ond er gweld twyni lawer
Ni welir twyn o well;
Ac nid oes dim yn gweddu 'mryd
Fel hedd y Banc o floedd y byd.

John Lloyd Jones

TALGARREG

(Llith-gerdd deledu)

Dan war y graig lawr tano ni fanna
ma Talgarreg,
yn glwstwr o dai a bythynnod
wedi'u harllwys i badell o gwm,
a rhywle'n y gwaelod
mae'r Glowon a'r Bwdran
yn byrlymu rhwng y brwyn,
a'r Cletwr Fawr yn fawr
am 'i bod hi'n fwy na'r Cletwr Fach.

Draw fforna odd hi'n fain slawer dydd
a nemor i geinog ar gadw
ym Manc Blaenglowon;
yr hen fechgyn yn cerdded bob cam i Landysul
i hôl allwedd watsh,
a cherdded ddeng milltir ymhellach
os clywen-nhw bod hi geinog yn rhatach
yn siop Castell Newydd.

   Ambell waith fydde Beti a'r asyn
yn ei siwpermarced o gart
yn tramwy dros Riw'r Amwisg
i gyhoeddi bargeinion y dydd
ar barwydydd y rhos:
        'Sgadan Aberporth,
          Dou fola mewn un corff!'
Ac yn diwel ei llais dros yr ymyl
lawr i Ben-lôn a Sarnicol,
lle'r oedd bardd yn corneito
yn ymyl y Garreg Wen
cyn dewis o'i bedwar ban.

Efengyl y pridd fu'n llwybreiddio
ar weunydd Llawr Cwrt a Gallt-mân,
lle mae'r llyn yn ddwfwn a'r pridd yn fas.
Nid mynd i'r cwrdd bob dydd Sul
odd yn bwysig,

ond gofalu caead pob clwyd
ac arbed dou enllyn mewn pryd;
peidio prynu heb dalu
yn siop Griffi a Mali,
a chadw'n glir o hen gownt
rhag eu claddu'n ddi-gwnt.

Ffordd hyn odd y ffermydd di-fforc
a'r ffeirad yn byta'r sgwarnog o'r cawl
rhwng bys a llwy bren.

Ma nhw i gyd wedi cau'r glwyd ola
yn sâff ar eu hôl er ys llawer dydd.
Pant-y-bwts a Brebast,
Pledrog, Shintwr, Pen-rhiw,
Pant-y-cetrus, Mynachlog, Pant-swllt;
bro'r llygoeron a'r afar wanwn,
a'r hen filwr naill-fraich
yn dysgu Susneg gwan mewn Cwmrâg cryf
dan lwfer athrofa Pant-y-giach.
A Twm Crydd Pwllypwdel
yn hau 'diolch yn fawr' ei gymdogion
am waith ei bwyntrhedyn
yn rhych dato ei ardd
i'w arbed rhag tlodi.

Ma gwynt trâd sgyfarnog ar gwrs
yn whiban dros grib Croesffordd Mownt,
a llwybre Siôn Cwilt y smwglwr
yn snecian rhwng grug byr ag eithin tal
fel gole lleuad ar garlam
rhwng y cymyle.

'Y gasgen fach o frandi
    A ddaeth o'r Eil o Man,
A lawr ar draeth y Crowgal
    Y golchwyd hi i'r lan.

A whiw-whaw dros y claw,
  Agorwyd y gasgen â chaib a rhaw.'

Pan ddôi teid o dablen i dir
rodd hi'n fore priodas o ffest;
rhostio'r cig moch
ar glawr ffwrn wedi'i iro,
a chriwsoni'r grofen i'r plant
â sos pocer coch.

Ma nhw'n cerdded o hyd gyda'r nos,
a llais-galw-moch Marged Leisa
yn ego drwy'r coedydd a'r cwm.
A lawr i riw'r Esger daw Lewsyn
i frwsio lliw'r eithin o'r cloddiau,
a fframo'r machlud
ag enfysoedd ei gynfasau.
Dafydd Ifans yn ei fwthyn
yn gwnïo cloriau am waith y clerwyr
a theilwra'r baledi bras
mewn dillad dydd Sul o gyfrole.
Ac ar unigedd corsog Ffatri Weun
mae Tomos a Marged yn dal i stofi
breuddwydion i frethyn y fro.

D. Jacob Davies

HIRAETH DIGRIFWCH

Wyf wylo heb fy eilun:
Heb Bontsiân â'i gapan gwyn;
Y mae fy mhrif etifedd
Yn awr heb wit yn aer bedd.

O'r didol anghredadwy;
Y Go' mawr yn ysig mwy;
Awenber yn y gweryd;
Lisi'n 'whâr' yn fyddar fud.

Collais bendefig cellwair:
Colli grym ac ystum gair,
A hymian-oslef hefyd
Y saer bach yn mesur byd.

O na chawn eto i'm hiacháu
Funud o'i uchelfannau
A'i hei leiff, mae'r byd heb liw:
Sobreiddiwyd asbri heddiw.

Ond dan lif ei ddigrifiaith
Roedd pryder y mêr am iaith,
A'i donic o ddadeni:
Eirwyn ei holl droeon hi.

Gwae hebot, ond drwy'i gwbwl
Daw o bell ddisyfyd bwl
O chwerthin â'i fin yn faeth:
Min o hwyl ym mhoen alaeth!

Donald Evans

95

AR BEN Y LÔN

Ar Ben y Lôn mae'r Garreg Wen
Yr un mor wen o hyd,
A phedair ffordd i fynd o'r fan
I bedwar ban y byd.

Y rhostir hen a fwria hud
Ei liwiau drud o draw,
A mwg y mawn i'r wybr a gwyd
O fwthyn llwyd gerllaw.

Ar Ben y Lôn ar hwyr o haf
Mi gofiaf gwmni gynt,
Pob llanc yn llawn o ddifyr ddawn
Ac ysgawn fel y gwynt.

Ar nawn o Fedi ambell dro
Amaethwyr bro a bryn
Oedd yno'n barnu'r gwartheg blith
A'r haidd a'r gwenith gwyn.

Ac yma, wedi aur fwynhad
Tro lledrad ger y llyn,
Bu llawer dau am ennyd fach
Yn canu'n iach cyn hyn.

O gylch hen Garreg Wen y Lôn
Bu llawer sôn a si;
Ond pob cyfrinach sydd dan sêl
Ddiogel ganddi hi.

Y llanciau a'r llancesi glân
Oedd gynt yn gân i gyd
A aeth hyd bedair ffordd o'r fan
I bedwar ban y byd.

Pa le mae'r gwŷr fu'n dadlau 'nghyd
Rinweddau'r ŷd a'r ŵyn?
Mae ffordd yn arwain dros y rhiw
I erw Duw ar dwyn.

Fe brofais fyd, ei wên a'i wg,
O olwg mwg y mawn,
Gwelais y ddrycin yn rhyddhau
Ei llengoedd pygddu llawn:

Ar Ben y Lôn mae'r Garreg Wen
Yr un mor wen o hyd,
A dof yn ôl i'r dawel fan
O bedwar ban y byd.

Sarnicol

BRO MEBYD

Caf yma ryfeddodau
Sy'n dal i'm swyno o hyd,
Caf glywed gwledig nodau
Ar bell ymylon byd;
Dringaf o encilfeydd y glog
I ganu cerdd pan gano cog.

Caf wrando hen afonydd
Ar eu hynafol daith,
A mynd i hedd y rhosydd
A'r gweunydd llonydd llaith;
Ac weithiau weled mentyll trwm
Y niwl yn cau am lun y cwm.

Caf droi 'mhlith gwŷr a gwragedd
Di-stŵr a syml eu stad,
Na wŷr am rwysg a gwagedd,
A'u gwreiddiau ym mhridd y wlad;
Mae gwerthoedd byd o hyd yn stôr
Rhwng Pen Coed Foel a Moel y Môr.

Mae'r iaith a garaf orau
O boptu i'r bryniau hyn,
A thân yr hen allorau
A'r lampau pŵl ynghynn;
Molaf dy wynt, dy wyll, dy wawr,
Nes dyfod y mudandod mawr.

Ifan Jones

TEIFI

(I'm cyfaill a'm cyd-bysgotwr, Wilbert Lloyd Roberts)

Mae afon sy'n groyw a glân,
A balm yn addfwynder a cheinder ei chân.
Pob corbwll fel drych i ddawns cangau'r coed cnau,
Pob rhyd fel pelydrau mewn gwydrau yn gwau;
A'i thonnau, gan lamu yn canu'n un côr
Ym Mae Aberteifi ger miri y môr.

Er dod o Gors Caron, a'i llarpio'n y llaid,
Mae'n llamu i'w glendid – gweddnewid ar naid.
Ar ôl pasio Llanbed' – a theced ei thŵr –
Pont Henllan sy'n estyn ei darlun i'r dŵr;
Toc Rhaeadr Cenarth sy'n daran drwy'r fro,
Ond rhowch i mi Deifi Llandysul bob tro.

Mae'r llif yno'n ddiog, a'r dolydd yn las,
A'r brithyll, a'r sewin a'r samon yn fras;
A dau o enweirwyr, heb ofal is nen
Yn disgyn i'r afon o Blas Gilfach Wen,
A thoc bydd Coch Bonddu yn llamu'n ei lli' –
Rhowch Deifi Llandysul i Wilbert a mi.

Ar ba sawl blaen llinyn caed sewin yn saig
A'r sêr yn rhoi tro uwchlaw gro Tan-y-graig?
Sawl samon a fachwyd, chwaraewyd i'r rhwyd
Yn ffedog Pwll Henri, a'r lli braidd yn llwyd?
A sawl brithyll eon fu'n ffustio'n rhy ffôl
A chrych y cyflychwr ar ddŵr Pwll-y-Ddôl?

O'r bore tra thirion hyd hinon brynhawn
Crwydrasom ein deuwedd un duedd, un dawn.
Pysgota tan fangoed a glasgoed y glyn,
A dal i bysgota a'r nos ar y bryn.
A pha sawl cyfrinach cyfeillach a fu
Ar bulpud o greigan ar dorlan Pwll Du?

99

Fy nghyfaill genweirig, caredig dy ryw,
Faint gawn ni'n dau eto o hafau i fyw?
Os byddi dy hunan wrth bwll Gilfach Wen
Un noson, a chlywed sŵn rîl wrth lein den,
Nac ofna, myfi fydd yn llithro drwy'r gro
O Erddi Paradwys i Deifi am dro.

Cynan

GWASG GOMER

Chwi bellach yw llinach llên,
Hen deulu sy'n dudalen
O hanes tyfiant cenedl
Yn ei chân, ei dysg a'i chwedl;
Brodyr, uchelwyr o chwaeth
A noddwyr ein llenyddiaeth.

Eich offer roes geinder gwedd
Yma i lên ers can mlynedd,
Chwithau'n rhan o'r peirianwaith
Wedi eich geni i'r gwaith;
Ôl y print fel pe o raid
Lywia oes y Lewisiaid.

Idris Reynolds

CWM ALLTCAFAN

'Fuoch chi yng Nghwm Alltcafan,
Lle mae'r haf yn oedi'n hir?
Lle mae'r Sane Gwcw glasaf?
Naddo? Naddo wir?

'Welsoch chi mo afon Teifi'n
Llifo'n araf drwy y cwm?
'Welsoch chi mo flodau'r eithin
Ar y llethrau'n garped trwm?

A fûm i'n y Swistir? Naddo.
Na, nac yn yr Eidal chwaith,
Ond mi fûm yng Nghwm Alltcafan
Ym Mehefin lawer gwaith.

Gweled llynnoedd mwyn Kilarney
Yn Iwerddon? Naddo fi;
Tra bu rhai yn crwydro'r gwledydd
Aros gartref a wnes i.

Ewch i'r Swistir ac i'r Eidal,
Neu Iwerddon ar eich tro,
Ewch i'r Alban, y mae yno
Olygfeydd godidog sbo.

Ond i mi rhowch Gwm Alltcafan,
Pan fo'r haf yn glasu'r byd,
Yno mae'r olygfa orau,
A chewch gadw'r lleill i gyd.

'Welsoch chi mo Gwm Alltcafan,
Lle mae'r coed a'r afon ddofn?
Ewch, 'da chi, i Gwm Alltcafan,
Peidiwch oedi'n hwy . . . rhag ofn!

T. Llew Jones

MERCH O'R FFATRI WLÂN

Dim ond merch o'r ffatri wlân
wrth ei gwaith bob dydd
heb sylwi dim ar y byd mawr oddi allan.
Roedd ei gwallt mor ddu a thlws
fel rhyw freuddwyd ryfedd yn fy nghwsg,
ond mae'n gwneud gwaith dyn bob dydd am ei chyflog.

Rhwng y gwreiddiau dwfn a'r brwyn
dan y gamlas fach sy'n rhuthro'i swyn,
mor araf mae'r olwyn hen yn troi'r peiriannau;
ac mae'r dyn yn tanio'r tân
lle mae Jac a'r bois yn golchi'r gwlân
ond mae'r gwŷr yn dal i wau ar y glannau.

Dim ond merch o'r ffatri wlân
wrth ei gwaith bob dydd
hi sy'n creu o'r edau frethyn lliwiog.
Ac mae'r oriau'n hir a llawn
ac mae'r oriau'n ddail
sy'n cwympo i lawr ar y dŵr
sy'n crwydro draw drwy'r bore niwlog.

Dim ond merch o'r ffatri wlân
wrth ei gwaith bob dydd,
heb sylwi dim ar y byd mawr oddi allan.
Roedd ei gwallt mor ddu a thlws
fel rhyw freuddwyd ryfedd yn fy nghwsg,
ond mae'n gwneud gwaith dyn bob dydd am ei chyflog.

Meic Stevens

EMYR LLEWELYN JONES

Yn y llys yn y Bala fe welwyd y gwrthryfel yn ei gerbyd,
Ôl ei draed yn yr eira; a'r droed fain, bigog y tu mewn i'r cylch
Yn chwythu gwaelod gormes trawsnewidydd Tryweryn.
Tan yr wyneb ceriwbaidd a'r wên fachgennaidd yr oedd y grym
I godi Cymru i ben bryn aberth a dioddefaint,
Fel y codwyd hi lawer gwaith yn y gorffennol.
Fe fydd tri Llywelyn yn y carchar yn trigo
Gyda'i gilydd; ac fe fydd Owain Glyndŵr yn y gell.
Yno hefyd fe ddaw Michael Daniel Jones, yr Annibynnwr;
Emrys ap Iwan, y Methodist; a'r Eglwyswr, Arthur Price;
A'r golau yn y gell fydd llewyrch y Tân yn Llŷn.
Arweinwyr cenedlaethol y Dwyrain a'r Gorllewin a ddaw yno hefyd;
Gandhi, Kossuth, Mazzini, a'r genedlaetholreg honno o Ffrainc,
Y Jeanne d'Arc a losgwyd gan y Saeson yn Rouen;
Ffrwydrol oedd ei gweledigaethau hithau, a'r danchwa
A chwythodd y Saeson sosi o'i mamwlad Gatholig hi.
Arwyr Iwerddon, hithau, y genedl ddewraf yn Ewrob,
Padrig Pearse, James Conolly, Michael Collins a'r lleill;
Ac o'u beddau hwy y sugnaist ti dy wydnwch a'th ddifrifoldeb.

Y tu mewn i'r pedwar mur yn yr unigedd estron
Fe ddaw amheuon i siglo dy ffydd, digalondid i wanhau'r dewrder;
Fe fyddi yn amau a oedd hi yn werth achub y Gymru lipa,
Yr hen wlanen o wlad; y genedl nad oes ganddi dafod
Ond i lyfu tin ei gormeswyr, a'r llyfu yn arian a swyddi.
Yn yr amheuon llosg ac yn hunllefau'r anobaith
Edrych ar ben y stôl trwy farrau ffenestr dy gell
Ac fe gei di weld dy gartref lle y siglodd dy rieni di
Yng nghrud llên ac awen; bydd dy Giliau yn y golwg,
Y beirdd gwlad a roddodd eu diwylliant yn dy waed:
Y Geredigion a'th gododd, sir Ieuan Brydydd Hir
A fflangellodd yr Esgyb Eingl a fynnai fwrdro'r Gymraeg:
Fe weli di hefyd drwyddi y crac a roist yn y concrit,
Y praffter a roist yn y pren; a'r cadernid melyn a gwyrdd
Yn y genhinen Bedr areithlyd; yr arwr o Gymro
A roesit yng nghalonnau'r llanciau a'r llancesi.

104

Ti a weli y genedl, y genedl a greodd Duw,
Fel cenhedloedd eraill, i'w addoli a'i foli Ef.
O golli'r Gymraeg fe fyddai un iaith yn llai i'w foli;
O myn y genedl ei difa ei hun ni allai'r Arglwydd Iesu Grist
Ar Galfaria farw tros genedl goll; y genedl y rhoes Ef
Iddi ar hyd y canrifoedd Ei ffydd, Ei ras a'i iachawdwriaeth.
Y tu allan fe weli'r colofnau sydd yn ein cynnal,
Yn dy gynnal di yn y gell a ninnau yn yr argyfwng:
Y Gymraeg, y Gymru a'r Gristionogaeth.

Gwenallt

ATGOF CRWT AM GEINEWYDD GYNT

Hen draeth fy hiraeth, euraid ei farian,
A chregyn a dŵr, a chreigiau'n darian;
Hen bîr a'i forwyr, a'u barfau arian;
Arogl yr heli a threigl yr wylan,
Amaethwyr a glowyr 'glân' – yn sgwrsio;
Yn werth eu cofio! Ble'r aeth y cyfan?

T. Llew Jones

TRI CHYFNOD: CEI NEWYDD

Calan 2000

Mae'r nos yn dylyfu Dwy Fil, a'r bae
yn gysglyd yn y gwyll. Ymhell o floedd y dorf
mae ymchwydd distaw'r môr
yn seinio'n uwch nag unrhyw gloch.

Yma, nid oes dim yn dynodi'r awr:
dim ond olion anwel amser
sy'n troi ymaith gyda'r trai.

Tŷ ar y Cei, 1985

Talp o hufen iâ a thaclau
oedd y tŷ ar y cei, yn brolio'n binc
uwchben y bae. Fe'i gwelwn o bell,
ac adeiladem gychod aur o dywod poeth
a'u hwylio'n eu hunfan
a'n bryd ar gyrraedd adre.

Ond dymchwel wnaeth ein cychod bob tro,
a'r tŷ'n toddi'n y gwres.
Ar ddiwedd haf fe ddeuai rhywun i'w gymryd yn ôl
gan droi ein hafan ni
yn ddiwrnod hafal i ryw deulu.

Gweini, 1998

Mae bysedd seimllyd yr haf yn drwch
dros Gei Newydd, a'i chalon yn glwyfau'n y môr.
Y dydd sydd iddi'n ddieithryn, a'i ddwylo'n dynn
yn ei chudynnau aur.
– *Say something in Welsh, go on.*
– *I'm not a freak show.*

A gresyn na fyddwn yn fwystfil dau ben
yn eu herlid â'm hanadl poeth. Cawn wasgu tafod

107

yn ddim rhwng dau fyd, a phob carafân
yn gelain dan fy nghamau. Clywed fy llais

yn llethu'r lleferydd, a'r dorf mewn gwasgar gwyllt
wrth fy nhraed. Yna, tanio'r tawelwch
a chlywn sibrwd y môr yn ddof ar fy nghlyw.
Y nos rydd yn anadlu.

Ond nid wyf yn fwy na gwrthrych sy'n gaeth
i'w gorchmynion, yn dilyn pob dymuniad fel defod.
Thank you – Diolch, a'r llygaid gwag yn glynu arnaf,
pob gwefus yn glafoerio o hufen a hyfdra.

Ond mae'r pupur a'r halen yn siarad Cymraeg.
Pan fo'r drysau'n dylyfu gên, a *CLOSED* yn gorffwys
ar y gwydr, caf sgwrs â hwy,
am sut deimlad ydi cael eich trafod
gan ddieithriaid; eu gafael di-deimlad
fel gelod am eich cnawd.

Ac rydym yn gytûn, nad oes dim yn waeth
na'r dorf aflonydd hon,
sy'n syllu'n dryloyw ar y môr, gan ollwng
un rhwyd sy'n dymuno dal pob dim
ond pysgod.

Calan 2000

Mae'r traeth yn troi ar ei echel unig, di-dor, di-newid.
Chwiliaf eto am yr arwyddion, am synau newydd
yn gaeth yn y gwynt, neu anterth un don i ddiweddu'r byd,
ond ni ddaw dim. Does yma ond hen lun
yn wystl rhwng bysedd amser.

Ond gwn, rhywle yn y dyfnder cyfrin
mae 'na rywbeth yn curo o hyd,

  – eiliadau newydd
yn dyrnu yn y don.

Fflur Dafydd

GŴYL Y BANC YN LLANGRANNOG, 1989

Tyn môr ei anadl ar Ŵyl y Banc,
Tonnau'n foddion ar lwyau llwyd,
Trown gleifion oll wrth ymlid tranc.

Ar hyd ac ar led mor ddisyflyd ein stanc,
Tywodlyd sgrinau gwynt a stoliau plyg,
Tyn môr ei anadl ar Ŵyl y Banc.

Rhyddhad boreugan cyn llawdriniaeth llanc,
Wrth dyllu meinwe'r traeth a gwanu'n ddwfn
Trown gleifion oll wrth ymlid tranc.

Wrth i'r praidd ymweld; chwarae ambell branc
Hanner cylch ysgol Sulaidd; parau min wrth fin,
Tyn môr ei anadl ar Ŵyl y Banc.

Cyfarth ambell gi wrth rythu ar gŵn â gwanc
Yn drech na'i dennyn yn nhymer canol dydd,
Trown gleifion oll wrth ymlid tranc.

Myn noethion ifanc faglu ar seren fôr neu granc,
Cludo dŵr llond piser ddiflanna yn y fan,
Tyn môr ei anadl ar Ŵyl y Banc,
Trown gleifion oll wrth ymlid tranc.

Byd y Ceisio, Byd y Treisio, Byd y Tanc.

Menna Elfyn

CARREG BICA LLANGRANNOG

Rwyt yma yn dy gwrcwd fel hen wrach
Yn swatio a myfyrio ym min y lli;
Hacrach na phechod wyt, â chyndyn grach
O gen a chregyn dros dy wyneb di.
Ond mae i ti gadernid nas medd cnawd,
A thragwyddolder nas medd pethau'r byd,
Ac er i'r myrdd drycinoedd boeri'u gwawd
Ar dy esgeiriau, cadarn wyt o hyd.

Fe deimlaist hafau'r oesoedd ar eu hynt
Yn lapio eu gwresowgrwydd am dy war,
Bu'r gaeaf hefyd – â'i gynddeiriog wynt
Yn hyrddio'i ewyn eira dros y bar.
O'th gylch chwaraeodd, trwy'r canrifoedd deir,
Hen blantos oes yr ogo' – ac oes y ceir.

T. Llew Jones

TRE-SAITH

Beth sydd i'w weled yn Nhre-saith
Ym min yr hwyr, ym min yr hwyr?
Yr eigion euog a'i fron yn llaith
Yn troi a throsi mewn hunllef faith;
A hyn sydd i'w weled yn Nhre-saith.

Beth sydd i'w glywed yn Nhre-saith
Ym min yr hwyr, ym min yr hwyr?
Cri gwylan unig â'i bron dan graith
Yn dyfod yn ôl o seithug daith;
A hyn sydd i'w glywed yn Nhre-saith.

Beth sydd i'w deimlo yn Nhre-saith
Ym min yr hwyr, ym min yr hwyr?
Calon alarus, â'i hiraeth maith
Yn sŵn y tonnau yn caffael iaith;
A hyn sydd i'w deimlo yn Nhre-saith.

Cynan

Y CILIE

(Ar garreg fedd Jeremiah Jones, tad y llwyth,
torrwyd y geiriau, Gof, Amaethwr, Bardd)

Oherwydd dod o'r gof i gynnau tân
A thasgu o'r gwreichion byw o'i eingion ef,
Fe gydiwyd harn wrth harn yn ddiwahân
Yn sicr dreftadaeth ei ddeuheulaw gref.
Oherwydd i'r amaethwr droedio'r tir
A'i bâr ceffylau'n medi, trin a hau,
Mae'r Foel a Pharc y Bariwns eto'n ir
A'i waddol yn y ddaear yn parhau.
Oherwydd wylo o'r bardd uwch tynged dyn
A chawraidd chwerthin uwch rhyfeddod gair
Neu dorri strôc, mae'r gân a'r gelf yn un,
Y mae i arwyl ing, a hwyl i ffair.
Mae'r Cilie'n Gymru, a Chymru'n Gilie i gyd,
A thrai a llanw'r ddwy yw cwrs y byd.

Dic Jones

ENWAU LLEOEDD

Pant-gwyn, Pantygenau, Tŷ'r Pobydd, Trepibau,
Y Ddôl a'r Gellïau, a'r Pannau, Parc-pwll,
Cwm-du a Cwmduad, Ty-llwyd, Lôn-ar-Lluest,
Cilast, Mock, a'r Brebast a'r Bribwll.

Glan-graig a Trecregin, Bronorwen, Bryneirin,
Cwmceiliog, Blaencelyn, Llaindelyn, Glandŵr,
Y Foelallt a'r Felin, Bryn Noeth a Bryneithin,
Clawddmelyn, Trefigin a'r Fagwr.

Llyn-ddu a Llanddewi, Llangynllo a'r Gwenlli,
Y Top a Nantpopty a'r Penty a'r Porth,
Y Gwbert, Cwmgwybed, Cwmberw, Trebared,
Penbwlied a Llanbed a Llanborth.

Penllwyn a Penlleine, Cefnceiliog a'r Cilie,
Rhiw-fawr a Treferre, Y Lleine, Nant-llan;
Brynheulwen, Brynhelyg, yr Erwan a'r Ferwig,
Glanceri a'r Gorrig, Nantgaran.

Cwmhawen, Cwmhyar, Bryn Seion a Soar,
Y Ffynnon a Phennar, Tyhagar a'r Wig,
Dol-goy a Dolgïan, Cwm-bach a Cwmbychan
Y Prian, Nantgwylan a'r Helyg.

Isfoel

113

FY MRO

Tafell o Aberteifi – a hafan
    Lle cefais fy ngeni,
    Minnau ar drum ohoni
    Ger glan y gwasgarog li.

O'r Gaer-wen ar gwr unig – caf fy hwyl,
    Caf fywoliaeth ddiddig,
    Ac yna ambell ganig
    Wnaf yn rhwydd o gylch fy nhrig.

Cwmtydu'r cwmwd hudol – mae'n rhimyn
    O ramant naturiol;
    Hithau'r heniaith werinol
    Yw rhin dysg ei bryn a'i dôl.

Daw mawredd holl dymhorau – natur hen
    Yn eu tro i'w herwau,
    Wedi'r gŵys daw'r og a hau,
    Tyfiant a molawd hafau.

Hen nwyf y cynaeafau – aeth ymaith,
    Daeth yma beiriannau,
    Ond hylaw ŷnt i leihau
    Swae hir llafurus oriau.

Foreol awr o Fai, a'r wlad – yn nhw'
    Ei newydd ddeffroad,
    Rhydd ehedydd o'i godiad
    Felys dôn o'i nefol stad.

Edrychaf o'm maestir uchel – ar ffin
    Glir a phell y gorwel,
    Tywys hyd lwybrau tawel
    Gwylltiroedd y cymoedd cêl.

Adfeilion a diofalwch – anial
    Lle bu mwyn weithgarwch,
    Sugnodd lle'r difaterwch
    Grefft a'i llais i grofft y llwch.

Nyddir y cynganeddion – ar ei hyd
　　Mewn brawdol ymryson;
　　Cartre'r Cilie fu calon
　　Doniau y nwyd union hon.

Ond â ei holl do ieuanc – dan eisiau
　　I'r dinesig grafanc,
　　Ni ddaw bun i hedd y banc
　　Na melyslais chwim laslanc.

Gwasgar haul, pan gwsg, ar heli – lewyrch
　　Ei waed – liwiau tanlli,
　　A daw hael, hyfryd eli
　　Yr awel hwyr o'r clir li.

Tydfor Jones

YN ANGLADD TYDFOR

Noethlwm yn ein hiraethlef – yw'n hoedfa
    I ddwyn Tydfor adref;
    Beth sydd, yn nydd dioddef
    I'w ddweud, nas dywedodd ef?

Y mae cysgod trallod trwm – yn hollol
    Dywyllu pob rheswm,
    Y mae ein llên mwy yn llwm
    A gwae'i Adar ei godwm.

Angau dawn ac ing di-werth – lluchio'r llwch
    Ar y llon a'r prydferth,
    Ei ddifa yn eitha'i nerth,
    Torri'i hynt ar ei hanterth.

Pa les heno gwrogaeth – nac idiom
    Ein teyrngedau helaeth?
    Rhy hwyr bob tro yw hiraeth
    Pan ddisgyn y sydyn saeth.

Er i'r môr wisgo'i orau – er ei fwyn,
    A'r Foel ei holl liwiau,
    Nid haf sy'n dod â'r blodau
    A dyf ar gist fo ar gau.

Ni chlywir mwy uwchlaw'r môr – o riniog
    Y Gaer Wen mo'r hiwmor,
    Roedd y Gaer Ddu ger ei ddôr,
    A'r Wig a'i piau ragor.

Dic Jones

CÂN ESTHER

Gan bwyll, y gwynt! – pob parch i'th allu mawr
    A'th rwysg urddasol, heliwr ffroengoch, ffôl;
Mae'r crwt, Jac Alun, ar y môr yn awr,
    Paid gyrru dy fytheiaid ar ei ôl.

Mi wn y cofia'n amal am y caws
    A fwytai gynt wrth siarad am fynd bant,
Ac fel y rhedai'n benrhydd iawn ar draws
    Y maes ar ôl cwningod Parc-y-pant.

Ni wyddai ef am stormydd byd a'i frad,
    Am brinder enllyn a chaethiwed ffrwyn,
Na llwybrau tywyll – dim ond ffyrdd y wlad
    A rhyddid Banc Llywelyn a Phwll-mwyn.

Mi hoffwn innau sŵn dy utgorn cry'
    A'th donnau gwallgof yn y dyddiau gynt
Yn taro'r creigiau oni chrynai'r tŷ
    I'w sail – ond 'nawr, gan bwyll, gan bwyll y gwynt!

Isfoel

117

GWYNT Y MÔR – 1982

Gwaneg fygythiol sydd o gylch Trwyn Croi
Ar ôl cawodydd egr a'u sydyn fyllt;
Y cychod oll i hafn y Cei sy'n ffoi
Rhag cynnwrf Erin yn y chwythwm gwyllt.
Y gwymon – ffisig i'm hysgyfaint sâl –
A ffroenaf – oesol foddion siŵr i'r gwan;
Fan draw mae gwrec ar ei anesmwyth wâl;
'Fory i'r dwylo bore daw i'r lan;
Ond ofer disgwyl o'r Malfinas goed;
Lle mae'r hen Siôn Ben Tarw'n gwlychu'i draed
Wrth gadw, uwch y gwymon, stormus oed
A sawr y Pampas pell ar lif y gwaed.
Ac er mai hunllef ddaeth i mi â braw
Roedd tawch cyflafan ar 'Newyddion Naw'.

Jac Alun Jones

Y MORWR COLLEDIG

Iach hwyliodd i ddychwelyd – ond ofer
   Fu dyfais celfyddyd;
  Y môr wnaeth ei gymeryd,
  Ei enw gawn, dyna i gyd.

Cerngoch

CWMTYDU

I'm hannwyl gwm unig, a'i hoenus afonig
 Yn gyrru tros gerrig â'i miwsig i'r môr,
Lle'm ganwyd i gynnau, yw'r fan yr af innau
 Tros lethrau hyd gyrrau'r deg oror.

Ond swyn nid oes heno, nac annedd deg yno,
 Aeth gwres yr hen groeso ar ffo dros y ffin,
Hwyr olau ar aelwyd na chongl o dan gronglwyd
 Na thramwy, daearwyd ei werin.

Di-fael hen adfeilion yn welw a digalon,
 A brodir ysbrydion yr awron yw'r fro;
Yn lle teulu, tawelwch; yn lle gardd mae anharddwch,
 A'r heddwch yn dristwch trwm drosto.

'Does ddyfal sŵn malu na gwres odyn grasu,
 Y rhod wedi rhydu a phydru'n ei phwll;
Gwŷr y Gwernydd a'r Gwarnant, eu hydau ni chludant
 Trwy'r llawrbant, na'r Henbant na'r Weunbwll.

Na gwanwyn a'i gynnydd ar gaeau y Gwehydd,
 Heb rin ydyw bronnydd y Crydd dan eu craith;
Mae'r gweithdai, mae'r coedther, a chraff weilch yr offer
 A balchder a hoffter at grefftwaith?

Mae stôr y tymhorau, y rhedyn a'u rhwydau
 A rhyfyg yr hafau yn cau ar y cwm;
O ogof i fagwyr daw'r awel drwy awyr
 A rhywyr lw hwyr yn alarwm.

Er tramwy gwar trumell hyd drothwy y draethell,
 Ni chaf un ystafell i'm cymell fel cynt;
Y mwynweilch o'r mynydd a deliaid y dolydd
 Ar ddiwedydd dedwydd nid ydynt.

I gof daw dygyfor hen arfaeth ger mawrfor,
 Ag erwau'r deg oror yn borffor, i'r bae
'Atlanta' â'i helyntion yn rhwygo yr eigion
 Tan gryfion awelon ei hwyliau.

Y llathrwyn feirch llithrig yn weddoedd anniddig
  Dan drymlwyth crynedig cerrig y calch
Yn ei ddwyn yn gadwynog, â'u gwarrau'n gyhyrog,
  I'w riniog ddihafog yn ddifalch.

Y lluoedd yn bloeddio, a'r odyn yn gwrido,
  Iach afiaith a chwifio eu croeso i'r criw,
Yr helynt a'r hawliau, rhu'r offer a'r rhaffau,
  Y chwedlau a'r dadlau di-edliw.

Daw doethion cymdeithas, mynych eu cymwynas,
  O ruddin gwŷr addas Dôl Las a Dail Ynn;
Rhedegwyr y Dugoed a'r ceincwyr o'r Cyncoed
  A'r Glasgoed i'r oed wrth yr odyn.

I'r traeth daw amaethwyr o'u crofftau, a'r crefftwyr
  A'r dilesg ardalwyr, pencampwyr y cwm,
I waith y dadlwytho, y rhyfyg a'r rhofio,
  A'r egnïo i'w gael-o i gwlwm.

Tyr hisian y tresi o'r gweddoedd, a gweiddi
  Gweis cwrtais a'u ceirti yn rhesi ar ro,
Ag elfen yn gelfydd yn rhigolau ei gilydd,
  Ail cedrwydd o ddeunydd oedd yno.

Odynwyr â'u doniau, y tân â'i daranau
  A hud ei fflachiadau yn olau'n y nos;
Y morwyr a'u miri yn adrodd gwrhydri
  Yr heli i'n diddori'n ddi-aros.

O! lan anghyfannedd, gwael a di-ymgeledd,
  Rhyw anial dirinwedd lle bu mawredd – mwy
Diffoddodd yr oddaith, oer rŵn lle bu'r heniaith,
  Ac anrhaith lle bu'r trymwaith a'r tramwy.

Nid oes fan dewisol i'm heno'n ddymunol,
  Na chwmni egnïol na rhigol ar ro,
Na nwyfiant cynefin yn nhangnef Mehefin
  Na gwerin a'i chwerthin iach wrtho.

Na disgwyl am hwyliau tros orwel y tonnau,
  Huodledd na chwedlau na golau'n y gwyll;
Diramant yw'r rhimyn, a mwrllwch yw'r morllyn,
  A phenrhyn yr odyn yn rhidyll.

A'r wylan o'r heli â'i hadain ddi-oedi
  Yn araf gau llenni yr hwyr ar y traeth,
Af eilwaith i felys, deg hafau atgofus, –
  Yr enfys a erys ar hiraeth.

Alun Jones

SGRAP

Bu casglu relics doe o bob rhyw fan
   Yn ddolur llygaid drwy'r prynhawn i mi;
Hen geriach nad oedd iddynt mwyach ran
   Na lle'n hwsmonaeth ein hoes fodern ni.
Allan o'r stabl a'r cartws aeth y cwbl –
   Y certi cist, y gambo fach a'r trap,
Erydr ceffylau o'r ffald, ungwys a dwbl,
   Yn bendramwnwgl ar y domen sgrap.

Ond er i'r bois gael hwyl yn eu crynhoi
   Wrth gwt y tractor mor ddi-ots a chwim,
Ac i minnau daro'r fargen, heb din-droi
   Na hocan, am y nesaf peth i ddim –
Aeth rhywbeth mwy na sgrap drwy iet y clos
Ar lori Mosi Warrell am y rhos.

Alun Jones

123

YN ANGLADD ALUN

(gan gofio'i soned 'Sgrap')

Bu hebrwng arch hen gyfaill tua'r llan
    Yn ddolur calon drwy'r prynhawn i mi,
Hen grefftwr nad oedd iddo mwyach ran
    Na lle'n llenyddiaeth ein hoes fodern ni.
Allan o ddrorau'r cof y daeth y cwbwl –
    Arabedd iach a soned, mydrau dwys.
Cynghanedd gain, telyneg, odlau dwbwl,
    Aeth ymadroddi persain dan y gŵys.
Ac er i fois Pontcanna a'r B.B.C.
    Wneud eu gorau i dalu iddo barch,
Ni welsant hwy mo'r llun a welais i
    Wrth glywed sŵn y grafel ar ei arch.
Aeth rhywbeth mwy na chorff o dan y gro
    Pan gaeodd Ddydd Gŵyl Ddewi'i lygad o.

Dic Jones

DELYTH (FY MERCH) YN DDEUNAW OED

Deunaw oed yn ei hyder – deunaw oed
　　Yn ei holl ysblander,
　　Dy ddeunaw oed boed yn bêr,
　　Yn baradwys ddibryder.

Deunaw – y marc dewinol – dod i oed
　　Y dyheu tragwyddol,
　　Deunaw oed, y deniadol,
　　Deunaw oed nad yw'n dod 'nôl.

Deunaw oed, – dyna adeg – deunaw oed
　　Ni wêl ond yr anrheg,
　　Deunaw oed dy i'engoed teg,
　　Deunaw oed yn ehedeg.

Echdoe'n faban ein hanwes – ymhen dim
　　Yn damaid o lances,
　　Yna'r aeth y dyddiau'n rhes,
　　Ddoe'n ddeunaw, heddiw'n ddynes.

Deunaw oed yw ein hedyn – deunaw oed
　　Gado nyth y 'deryn,
　　Deunaw oed yn mynd yn hŷn,
　　Deunaw oed yn iau wedyn.

Deunaw oed ein cariad ni – deunaw oed
　　Ein hir ddisgwyl wrthi,
　　Deunaw oed yn dynodi
　　Deunaw oed fy henoed i.

Dic Jones

ARTIST

(Aneurin Jones)

Daliodd galedi dwylo,
Y drem gyda'r cap ar dro,
A doniau gwâr dyn a'i gi
Yn heddwch y llechweddi.
Yn ei lun, boed leddf neu lon,
Gwelir wynebau'r galon.

Hiraeth yw paent Aneurin,
Rhoi parhad i'r trysor prin;
Ar ei frws bellach mae'r fro:
Yntau sy'n dal i beintio
Oriau sgwrs y filltir sgwâr
Ag olew dyfnaf galar.

Idris Reynolds

ELLEN ANN

Os gwelsoch chi'r darlun o Salem
A'r ddynes â'r siôl yn rhyw fan,
Rwy'n siŵr y gwnaech ei hadnabod
Pe cwrddech â'r hen Ellen Ann.
Canys hon yn nyddiau plentyndod,
Â'i hwyneb melynsych hi,
Â'i llyfr o dan ei chesail
A'i siôl, oedd Siân Owen i mi.

Fe ddaliai'n un llaw yn wastadol
Ffon ddraenen, ni wn i ddim pam
Cans ni chwrddai'r llawr, a'i thraed bychain
Yn mesur dwy droedfedd i'r cam.
A'r llall a anwylai hen Feibil
Treuliedig â'i glaspiau ynghlo,
Ac eto, ni wn i ba ddiben,
Roedd ei gynnwys i gyd ar ei cho'.

Pe cwrddech â hi yn malwodi
Ei ffordd, pa ddydd bynnag o'r saith,
Mi fentrwn i swm bach sylweddol
Fod capel ar ryw ben o'r daith.
Os na fyddai'n breichio basged
A honno ryw radd ar ei chant,
Bryd hyn, byddai'r daith i Lwynbedw
Â dyrnaid o gyrrens i'r plant.

Pa waeth os oedd celfi'i thrigias
Yn dallu'i ffenestri cul?
Roedd yn rhywle i wario'r amser
Rhwng seiat, cwrdd gweddi a Sul.
Pa waeth bod ei chawl 'Ciper-herin'
Mor ddiflas â'i bara te,
Gwnâi'r tro nes câi dafell o'r bara
A bery am byth yn ei le.

Pe clymid ei dengmlwydd a thrigain
O gerdded i gyrddau ynghyd,
Os na fyddai'n hwy, byddai hired
Â thaith yr hen genedl i gyd.
'O fryniau Caersalem, ceir gweled'
Y drafael i gyd, medde nhw,
Mae yno un bellach a'i cerddodd
Bob troedfedd, mi gym'raf fy llw.

Dic Jones

ANTI HANNA

Brenhines Teifi

Bwrlwm o hiwmor iachus yn dawnsio
o lygaid direidus;
wyneb brodiog, cariadus.
Hen ŷd y wlad, heb yr us.

Swyn y Felin i blentyn, a miri
cymdeithas Tŷ'r Odyn
dros risiau'r cof yn esgyn
i beintio'r cymylau'n wyn.

Y chwedlau gwyllt yn tasgu wrth wylio'r
cynhaeaf yn crasu;
bellach mae'r wisg yn braenu.
Ein doe yw'r heddiw a fu.

Brenhines Pwll y Ffrydiau, a heriodd
enweirwyr y glannau
o'i chwrwgl ar grychdonnau,
yn fud yn y beddrod cau.

Piau'r bedd yn y Gelli?
Nid bedd ydyw ei bedd hi
pan ddaw'r eog i Deifi.

Eluned Phillips

GWADDOL

(Detholiad)

Clec ar ôl clec ydyw'r clos,
a'i frigau'n friwiau agos
i'r hon a wêl fore'n nos.

Sŵn morthwyl yr ocsiwn yw,
ergydio'r gwagio ydyw.
Hoelio arch sydd yn ei chlyw.

Mae'r gwaddol mor gyhoeddus
yn y bawd a'r ystum bys:
rhesymu pris ymhob rheg,
bref ar fref yn gyfrifeg.
Gyda'r lloffion hwsmonaeth,
rhaffau'r lloi a'r offer llaeth,
malwyd, glec wrth glec, gefn gwlad
ei theulu dan forthwyliad.

Mae hanes ymhob munud,
a'r fam, nad yw'n fam, yn fud:
gwyra'i ffordd o gaeau'r ffws
i ddistawrwydd y storws.

Wyneb ei mab yw y man:
yno mae'n cofio'r cyfan . . .

★   ★   ★

CLEC!
Adlef. Bref. Bolltia'r brain.
Gwrychoedd yn sgathru-sgrechain.
Beudy yn diasbedain.

Mae'r eco sy'n staenio'r stên
i'w glywed yn y gleien,
yn llenwi y feillionen.

130

Eiliadau o gnul aden
yn y llwyn, cyn bod y lle'n
dawelach na chwymp deilen.

Uwch ffermydd llonydd gerllaw,
awel y dryll a eilw draw
yn ddi-osteg o ddistaw.

Ers oriau'n trwsio'i weiren,
nid yw Boyce yn codi'i ben:
ei fyd yw Parc-y-Fedwen.

Wrth osod hen fagl gaglog
ni wêl Hughes tu hwnt i'w log,
na hwnt i glawdd Nant-y-Glog.

Os clywodd John Cilbronne,
yn ddi-hid y clywodd e'r
baril yn hollti'r bore.

Clywodd ei fam – heb amau,
ac, i guriad cleciadau
ei gweill, aeth ymlaen â'i gwau . . .

Wedi hanesion ei fyd ynysig,
fe drown i gyd i'n cleien bellennig,
yn ôl i rydu yng nghlwy'r aredig,
yn ôl i waedu yn anweledig.
Trown i'r acer lawn cerrig – a dyled,
ac i gymuned o gamau unig.

Clec!
Adlef. Bref. Bolltia'r brain.
Gwrychoedd yn sgathru-sgrechain.

Ceri Wyn Jones

SIR ABERTEIFI

Sir y mawn, sir y meini – sir y mwn
   Sir mynych bentrefi.
A sir llawnt a phleser lli
O flin drafael hen drefi.

Evan Jenkins

CYDNABYDDIAETH

Hoffai'r golygyddion a'r Wasg gydnabod y ffynonellau isod:

Gwynfor ab Ifor: 'I Fyfyrwyr Aber, ddoe a heddiw', *Cywyddau Cyhoeddus* (Gwasg Carreg Gwalch)

Gwynn ap Gwilym: 'Y cudyll uwch Ystrad-Fflur', *Yr Ymyl Aur* (Gwasg Gwynedd)

Anhysbys: 'Lisa Tal y sarn', *Cerddi Ysgol Llanycrwys* (Gwasg Gomer)

Cerngoch: 'I bentref Cribyn', 'Y bardd wrth edrych ar Ddyffryn Aeron', 'Y morwr colledig', *Cerddi Cerngoch* (Pwyllgor Coffa Cerngoch)

Cledlyn: 'Llanwenog', *Bro Llambed*, Gwilym Thomas (Gwasg Carreg Gwalch)

Cynan: 'Teifi', 'Tresaith', *Cerddi Cynan* (Gwasg Gomer)

D. Jacob Davies: 'Talgarreg', *Y Mynydd Teimladwy* (Llyfrau'r Dryw)

Fflur Dafydd: 'Tri chyfnod: Cei Newydd', *Cerddi'r Troad* (Gwasg Gomer)

Bryan Martin Davies: 'Baled Steddfod Aberystwyth, 1952', *Pan Oedd y Nos yn Wenfflam* (Cyhoeddiadau Barddas)

David Davies: 'Cwymp Ffynnon-bedr, (detholiad), *O Fôn i Fynwy* (Gwasg y Brifysgol)

Ifor Davies: 'Dewi Morgan', *Cofiant Dewi Morgan*, Nerys Ann Jones (Y Lolfa)

J. Kitchener Davies 'Plannu Perthi', 'Swn y Gwynt sy'n Chwythu' *O Fôn i Fynwy* (Gwasg y Brifysgol) 'Meini Gwagedd', (detholiad), *Cerddi Gwlad ac Ysgol* (Gwasg Aberystwyth)

Nan a Neli Davies: 'Limrigau enwau lleoedd', *Cofiant Idwal Jones*, D. Gwenallt Jones (Gwasg Aberystwyth)

Peter Davies: 'Dai Hope', *Cyfansoddiadau Eisteddfod yr Urdd, Caergybi* (Swyddfa'r Urdd)

T. Eirug Davies: 'Ffair Dalis', *Cerddi Eirug* (Cymdeithas Lyfrau Ceredigion)

Menna Elfyn: 'Gŵyl y Banc yn Llangrannog, 1998', *Aderyn Bach Mewn Llaw* (Gwasg Gomer)

Emrys Edwards: 'Syr David James', *O Fedel Pantyfedwen 1968* (Pwyllgor Llên Eisteddfodau Teulu Pantyfedwen)

J. M. Edwards: 'Afon Wyre', 'Dringo Rhiw Bwys', *Casgliad Cyflawn* (Gwasg Christopher Davies)

Dewi Emrys: 'Dafydd ap Gwilym' (detholiad), *Cyfansoddiadau Eisteddfod Genedlaethol Lerpwl 1929* (Cymdeithas yr Eisteddfod Genedlaethol)

Donald Evans: 'Bae Ceredigion', *O'r Bannau Duon* (Cyhoeddiadau Barddas); 'Cors Caron', 'Y Barcut Coch', 'Hiraeth Digrifwch', *Wrth Reddf* (Cyhoeddiadau Barddas)

O. T. Evans: 'Soar y Mynydd', *Cyfansoddiadau a Beirniadaethau Eisteddfod*

Genedlaethol Cymru Llanbedr Pont Steffan a'r Fro 1984 (Gwasg Gomer/ Llys yr Eisteddfod Genedlaethol)

Delyth George : 'Yn y Llew yn Aber', *Blodeugerdd Barddas o Ganu Newydd* (Cyhoeddiadau Barddas)

Ann Griffiths: 'Bechgyn Aberystwyth', *O'r Iawn Ryw* (Honno)

W. J. Gruffydd: 'Pumlumon', *Cerddi W. J. Gruffydd* (Gwasg Gwynedd); 'Tir y Goron', 'Y Fagwyr Wen', *Ffenestri a Cherddi Eraill* (Gwasg Gomer)

B. T. Hopkins: 'Rhos Helyg', *Rhos Helyg a Cherddi Eraill* (Cyhoeddiadau Modern Cymreig)

T. Hughes-Jones: 'Tair Afon', *Cerddi Gwlad ac Ysgol* (Gwasg Aberystwyth)

Gwenallt Llwyd Ifan, 'Llynnoedd Teifi', *Cywyddau Cyhoeddus 3* (Gwasg Carreg Gwalch)

Ieuan Brydydd Hir (Evan Evans) : 'Cywydd Hiraeth y Bardd am ei Wlad', *Blodeugerdd o'r Ddeunawfed Ganrif*, gol. D Gwenallt Jones (Gwasg Prifysgol Cymru)

Tecwyn Ifan: 'Merch y Bryniau', © yr awdur.

Wil Ifan: 'Y lodes o'r Synod Inn', *Bro fy Mebyd a Cherddi Eraill* (Gwasg Gee)

Isfoel: 'Enwau lleoedd', 'Cân Esther', *Cyfoeth Awen Isfoel* (Gwasg Gomer)

D. Lloyd Jenkins: 'Mewn llafur mae elw', *Can Mlynedd o Addysg Uwchradd yn Nhregaron* (Pwyllgor Dathlu Canmlwyddiant Ysgol Uwchradd Tregaron); 'Er cof am hen gaseg Cefngarth' (Ar lafar)

Evan Jenkins: 'Cof-golofn y pentre', 'Sir Aberteifi', *Cerddi Ffair Rhos* (Gwasg Aberystwyth)

Bobi Jones: 'I Bontrhydfendigaid', *Allor Wydn* (Llyfrau'r Dryw)

Alun Jones: 'Sgrap', 'Cwmtydu', *Cerddi Alun Cilie* (Gwasg John Penri)

Ceri Wyn Jones: 'Gwaddol' (detholiad), *Cyfansoddiadau a Beirniadaethau Eisteddfod Genedlaethol Meirion a'r Cyffiniau 1997* (Llys yr Eisteddfod Genedlaethol)

D. Gwenallt Jones: 'Er Cof', *Ysgubau'r Awen* (Gwasg Gomer); 'Emyr Llewelyn Jones', *Y Coed* (Gwasg Gomer)

Dafydd Jones: 'Ceredigion', 'Ffair Rhos', 'I Lawr yng Nghoed Caemadog', *Yr Arloeswr a Cherddi Eraill* (Gwasg John Penri)

David Jones: 'Gwnnws', *Ymwybod a Cherddi Eraill* (Llyfrfa'r Methodistiaid Calfinaidd)

Dic Jones: 'Yn Angladd Alun', 'Delyth (fy merch) yn ddeunaw oed', *Storom Awst* (Gwasg Gomer); 'Y Cilie', 'Yn Angladd Tydfor', 'Ellen Ann', *Agor Grwn* (Gwasg John Penri)

Gwilym R. Jones: 'Cwyn am ei farw cynnar', *Caneuon* (Gwasg Gee)

Idwal Jones: Cerdd ddi-deitl, *Cerddi Ysgol Llanycrwys* (Gwasg Gomer)

Ifan Jones: 'Bro mebyd', *Cerddi Y Pren Gwyn*, (Cymdeithas Lyfrau Ceredigion)

Jac Alun Jones: 'Gwynt y môr - 1982', *Y Capten Jac Alun* (Gwasg Gomer)
John Lloyd Jones: 'Banc Siôn Cwilt', *Grawn y Grynnau* (Gwasg Gomer)
J. R. Jones: 'Cwm Eleri', 'Cywydd Croeso', *Crafion Medi* (Gwasg Gomer)
R. Gerallt Jones: 'Pentrefi', *Cerddi 1955–1989* (Cyhoeddiadau Barddas)
A. Gwynn Jones: 'Ystrad Fflur', *Caniadau* (Hughes a'i Fab)
T. Llew Jones: 'Cwm Alltcafan', *Blodeugerdd y Plant* (Gwasg Gomer) 'Atgofion crwt am Geinewydd gynt', 'Carreg Bica Llangrannog', *Canu'n Iach* (Gwasg Gomer)
Tydfor Jones: 'Fy mro', *Rhamant a Hiwmor Tydfor* (Gwasg Gomer)
Vernon Jones: 'Nantymoch', *Llwch Oged* (Cymdeithas Lyfrau Ceredigion); 'Pen-y-garn', *Gogerddan a Cherddi Eraill* (Gwasg Gomer); 'New Row', *Y Llafn Golau* (Gwasg Gomer)
Doreen Lewis: 'Nans o'r Glyn', 'Cae'r blode menyn', © yr awdur
Gwyneth Lewis: 'Bedydd yn Llanbadarn' *Cyfrif Un ac Un yn Dri* (Cyhoeddiadau Barddas)
Alan Llwyd: 'Bedd Caradoc Evans', *Ffanwel â Chanrif* (Cyhoeddiadau Barddas)
Twm Morys: 'Be' wyddom ni . . . 2 (Cyhoeddiadau Barddas)
A. E. Nicholas: 'Bardd', *Rwy'n Gweld o Bell* (Gwasg John Penri)
Rhys Nicholas: 'Pantyfedwen', *Caneuon Ffydd* (Pwyllgor y Llyfr Emynau Cydenwadol)
Jack Oliver: 'Er cof', *Ail Gerddi'r Barbwr* (Cyhoeddiadau Modern Cymreig)
A. Williams Parry: 'Cantre'r Gwaelod', *Yr Haf a Cherddi Eraill* (Gwasg y Bala)
Eluned Phillips: 'Anti Hanna', *Cerddi Glyn-y-mêl* (Gwasg Gomer)
John Roderick Rees: 'Ymadael/Dychwelyd', 'Brenin Gwalia', 'Jane', *Cerddi John Roderick Rees* (Cymdeithas Lyfrau Ceredigion); 'Fy Nhad/Fy Mam', *Cerddi Newydd 1983–1991* (Cyhoeddiadau Barddas)
Idris Reynolds: 'Gwasg Gomer', *Ar Lan y Môr* (Gwasg Gomer); 'Artist', *Talwrn y Beirdd 5* (Gwasg Gwynedd)
Edward Richard: 'Bugeilgerdd' (Detholiad), *Blodeugerdd o'r Ddeunawfed Ganrif*, gol. D. Gwenallt Jones (Gwasg y Brifysgol)
A. Prosser Rhys: 'Y Gof', *Cerddi Prosser Rhys* (Gwasg Gee)
John Rowlands: 'Yr Emyn Trichant', *Yr Awen Lawen* (Cyhoeddiadau Barddas)
Meic Stevens: 'Merch o'r ffatri wlân', *I Adrodd yr Hanes* (Gwasg Carreg Gwalch)
A. Bryn Williams: 'Penparcau', *Cerddi Hydref* (Cyhoeddiadau Barddas)
J. J. Williams: 'Cotiau Coch Gogerddan', *Cerddi Gwlad ac Ysgol* (Gwasg Aberystwyth)

Cyfres Cerddi Fan Hyn

Mynnwch y gyfres i gyd

£6.95 yr un